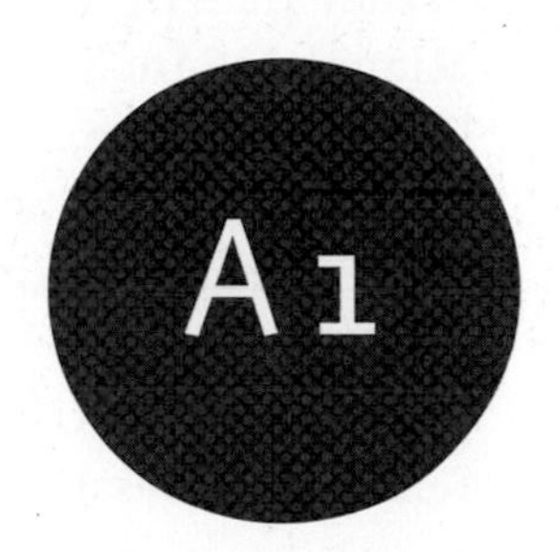

Sandra Evans
Angela Pude
Franz Specht

MENSCHEN

Deutsch als Fremdsprache
Kursbuch

Hueber Verlag

Für die hilfreichen Hinweise bei der Entwicklung des Lehrwerks danken wir:
Ebal Bolacio, Goethe-Institut/UERJ, Brasilien
Esther Haertl, Nürnberg, Deutschland
Miguel A. Sánchez, EOI León, Spanien
Claudia Tausche, Ludwigsburg, Deutschland
Anja Caroline Weber, Volkshochschule Wiesbaden, Deutschland
Katrin Ziegler, Università degli studi di Macerata, Italien

Fotoproduktion/Organisation:
Iciar Caso, Wessling

Fachliche Beratung:
Prof. Dr. Christian Fandrych, Herder-Institut, Universität Leipzig

Zusätzliche interaktive Lernangebote finden Sie unter www.hueber.de/menschen

3. 2. 1. | Die letzten Ziffern
2024 23 22 21 20 | bezeichnen Zahl und Jahr des Druckes.
Alle Drucke dieser Auflage können, da unverändert,
nebeneinander benutzt werden.
1. Auflage

Umschlaggestaltung: Sieveking · Agentur für Kommunikation, München
Layout und Satz: Sieveking · Agentur für Kommunikation, München
Verlagsredaktion: Marion Kerner, Gisela Wahl, Jutta Orth-Chambah, Hueber Verlag, Ismaning
Druck und Bindung: Mohn Media Mohndruck GmbH, Gütersloh
Printed in Germany
ISBN 978-3-19-211901-9

Art. 530_24014_001_01

INHALT

Piktogramme und Symbole

Hörtext auf CD ▶ 1 02

Aufgabe im Arbeitsbuch AB

Zusätzliches interaktives Lernangebot Beruf

Grammatik

GRAMMATIK

	arbeiten	haben
ich	arbeite	habe
du	arbeitest	hast
Sie	arbeiten	haben

Kommunikation

KOMMUNIKATION
Welche Sprachen sprichst du / sprechen Sie?
Ich spreche sehr gut / gut / ein bisschen ...

Hinweis

man = jeder/ alle INFO

INHALT

INHALT

INHALT

Liebe Leserinnen, liebe Leser,

Menschen ist ein Lehrwerk für Anfänger. Es führt Lernende ohne Vorkenntnisse in jeweils einem Band zu den Sprachniveaus A1, A2 und B1 des Gemeinsamen Europäischen Referenzrahmens und bereitet auf die gängigen Prüfungen der jeweiligen Sprachniveaus vor.

Menschen geht bei seiner Themenauswahl von den Vorgaben des Gemeinsamen Europäischen Referenzrahmens aus und greift zusätzlich Inhalte aus dem aktuellen Leben in Deutschland, Österreich und der Schweiz auf. Das Kursbuch beinhaltet 24 kurze Lektionen, die in acht Modulen mit je drei Lektionen zusammengefasst sind.

Das Kursbuch

Die 24 Lektionen des Kursbuchs umfassen je vier Seiten und folgen einem transparenten, wiederkehrenden Aufbau:

Einstiegsseite
Der Einstieg in jede Lektion erfolgt durch ein interessantes Foto, das oft mit einem „Hörbild" kombiniert wird und den Einstiegsimpuls darstellt. Dazu gibt es erste Aufgaben, die in die Thematik der Lektion einführen. Die Einstiegssituation wird auf der Doppelseite wieder aufgegriffen und vertieft. Außerdem finden Sie hier einen Kasten mit den Lernzielen der Lektion.

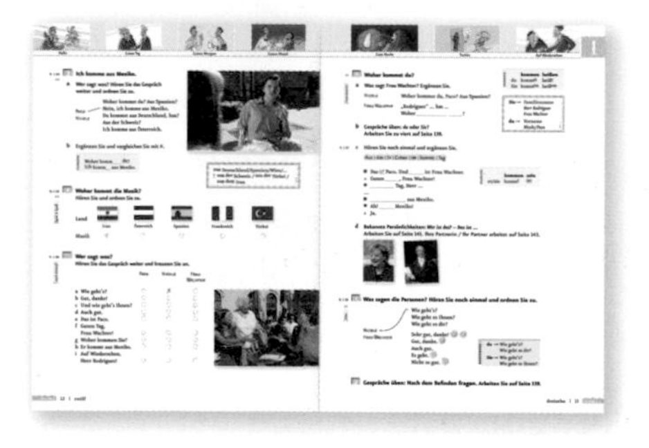

Doppelseite
Ausgehend von den Einstiegen werden auf einer Doppelseite neue Strukturen und Redemittel eingeführt und geübt. Das neue Wortfeld der Lektion wird in der Kopfzeile prominent und gut memorierbar als „Bildlexikon" präsentiert. Übersichtliche Grammatik-, Info- und Redemittelkästen machen den neuen Stoff bewusst. In den folgenden Aufgaben werden die Strukturen zunächst meist in gelenkter, dann in freierer Form geübt. In die Doppelseite sind zudem Übungen eingebettet, die sich im Anhang auf den „Aktionsseiten" befinden. Diese Aufgaben ermöglichen echte Kommunikation im Kursraum und bieten authentische Sprech- und Schreibanlässe.

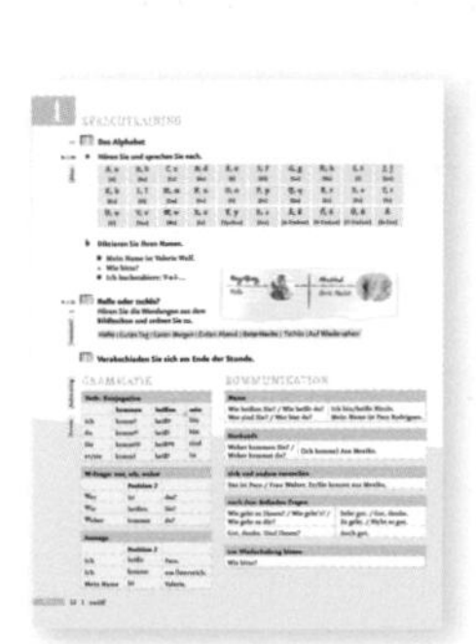

Abschlussseite
Auf der vierten Seite jeder Lektion ist eine Aufgabe zum Sprechtraining, Schreibtraining oder zu einem Mini-Projekt zu finden, die den Stoff der Lektion nochmals aufgreift. Als Schlusspunkt jeder Lektion werden hier die neuen Strukturen und Redemittel systematisch zusammengefasst und transparent dargestellt.

Modul-Plus-Seiten
Vier zusätzliche Seiten runden jedes Modul ab und bieten weitere interessante Informationen und Impulse, die den Stoff des Moduls nochmals über andere Kanäle verarbeiten lassen.

Lesemagazin: Magazinseite mit vielfältigen Lesetexten und Aufgaben
Film-Stationen: Fotos und Aufgaben zu den Filmsequenzen der *Menschen*-DVD
Projekt Landeskunde: ein interessantes Projekt, das ein landeskundliches Thema aufgreift und einen zusätzlichen Lesetext bietet
Ausklang: ein Lied mit Anregungen für einen kreativen Einsatz im Unterricht

Zusätzliche interaktive Lernangebote
Der Stoff aus *Menschen* kann zu Hause selbstständig vertieft werden. Das fakultative Zusatzprogramm für die Lernenden ist passgenau mit dem Kursbuch verzahnt und befindet sich im Lehrwerkservice unter www.hueber.de/menschen.

Übersicht über die Verweise:

interessant? ... ein Lese- oder Hörtext (mit Didaktisierung) oder Zusatzinformationen, die das Thema aufgreifen und aus einem anderen Blickwinkel betrachten

noch einmal? ... hier kann man den Kursbuch-Hörtext noch einmal hören und andere Aufgaben dazu lösen

Spiel & Spaß ... eine kreative, spielerische Aufgabe

Film ... ein Minifilm, der an das Kursbuch-Thema anknüpft

Beruf ... erweitert oder ergänzt das Thema um einen beruflichen Aspekt

Diktat ... ein kleines interaktives Diktat

Audiotraining ... Automatisierungsübungen für zu Hause und unterwegs zu den Redemitteln und Strukturen

Karaoke ... interaktive Übungen zum Nachsprechen und Mitlesen

Im Lehrwerkservice finden Sie außerdem zahlreiche weitere Materialien zu *Menschen* sowie die Audio-Dateien zum Kursbuch als mp3-Downloads.

Viel Spaß beim Lernen und Lehren mit *Menschen* wünschen Ihnen

Autoren und Verlag

DIE ERSTE STUNDE IM KURS: *HALLO!*

1 Wie heißen Sie? Sagen Sie Ihren Namen.

2 Wer ist das? Sagen Sie den Namen.

Hallo! Ich bin Nicole … 1

Hören/Sprechen: sich begrüßen/verabschieden: *Hallo. – Tschüs.*; nach dem Befinden fragen: *Wie geht's?*; sich und andere vorstellen: *Das ist Paco. Er kommt aus …*

Wortfelder: Länder, Alphabet

Grammatik: Konjugation Singular: *ich heiße, du heißt, …*; W-Fragen: *Woher …? / Wie …?*

▶1 02 **1 Hören Sie. Wie heißt das Lied?**
Welche deutschen Namen kennen Sie noch?

AB **2 Und wer bist du?**

▶1 03 **a Hören Sie und kreuzen Sie an.**

Ich heiße
○ Winfried.
○ Paco.

Ich bin
○ Nicole.
○ Winfried.

b Kettenspiel: Sprechen Sie.

▲ Hallo! Ich bin …
Und wer bist du?
■ Hallo, ich heiße …

c Zeichnen Sie einen Sitzplan. Notieren Sie die Namen. Wer weiß die meisten Namen?

Hallo

Guten Tag

Guten Morgen

Guten Abend

▶1 04 AB

3 Ich komme aus Mexiko.

a Wer sagt was? Hören Sie das Gespräch weiter und ordnen Sie zu.

PACO — Nein, ich komme aus Mexiko.
NICOLE

Woher kommst du? Aus Spanien?
Nein, ich komme aus Mexiko.
Du kommst aus Deutschland, hm?
Aus der Schweiz?
Ich komme aus Österreich.

b Ergänzen Sie und vergleichen Sie mit a.

GRAMMATIK
Woher komm____ du?
Ich komm__ aus Mexiko.

INFO
aus Deutschland/Spanien/Wien/...
! aus der Schweiz / aus der Türkei / aus dem Iran

▶1 05 AB — Spiel & Spaß

4 Woher kommt die Musik?

Hören Sie und ordnen Sie zu.

Land	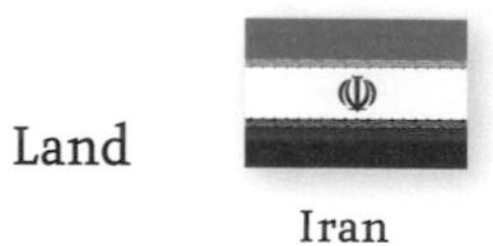 Iran	 Österreich	 Spanien	 Frankreich	 Türkei
Musik	①	○	○	○	○

▶1 06 — noch einmal?

5 Wer sagt was?

Hören Sie das Gespräch weiter und kreuzen Sie an.

	PACO	NICOLE	FRAU WACHTER
a Wie geht's?	○	⊗	○
b Gut, danke!	○	○	○
c Und wie geht's Ihnen?	○	○	○
d Auch gut.	○	○	○
e Das ist Paco.	○	○	○
f Guten Tag, Frau Wachter!	○	○	○
g Woher kommen Sie?	○	○	○
h Er kommt aus Mexiko.	○	○	○
i Auf Wiedersehen, Herr Rodriguez!	○	○	○

Gute Nacht

Tschüs

Auf Wiedersehen

AB **6**

Woher kommst du?

interessant?

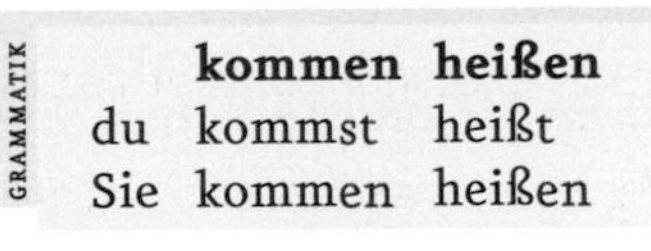
GRAMMATIK

	kommen	heißen
du	kommst	heißt
Sie	kommen	heißen

a Was sagt Frau Wachter? Ergänzen Sie.

NICOLE — Woher kommst du, Paco? Aus Spanien?

FRAU WACHTER — „Rodriguez" … hm …
Woher ____________ ______?

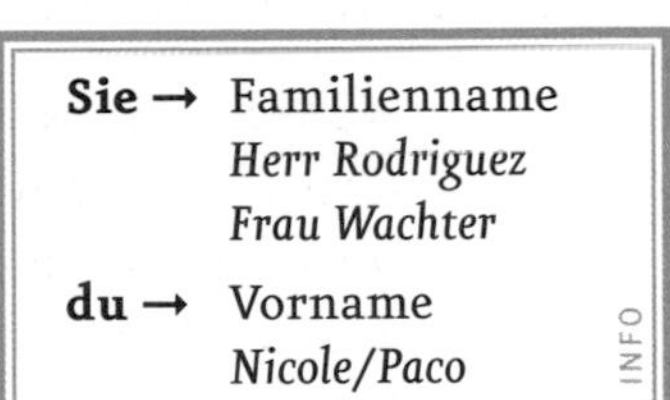
Sie → Familienname
Herr Rodriguez
Frau Wachter
du → Vorname
Nicole/Paco
INFO

b Gespräche üben: *du* oder *Sie*?
Arbeiten Sie zu viert auf Seite 139.

▶1 07 **c Hören Sie noch einmal und ergänzen Sie.**

Aus | das | Er | Guten | ~~ist~~ | kommt | Tag

■ Das ist Paco. Und ______ ist Frau Wachter.
▲ Guten ______, Frau Wachter!
● __________ Tag, Herr …
…
■ ____ __________ aus Mexiko.
● Ah! ______ Mexiko!
▲ Ja.

GRAMMATIK

	kommen	sein
er/sie	kommt	ist

d Bekannte Persönlichkeiten: *Wer ist das? – Das ist …*
Arbeiten Sie auf Seite 141. Ihre Partnerin / Ihr Partner arbeitet auf Seite 143.

▶1 08 **7**

Was sagen die Personen? Hören Sie noch einmal und ordnen Sie zu.

AB
Film

NICOLE
FRAU WACHTER

Wie geht's?
Wie geht es Ihnen?
Wie geht es dir?

Sehr gut, danke!
Gut, danke.
Auch gut.
Es geht.
Nicht so gut.

KOMMUNIKATION

du → Wie geht's?
Wie geht es dir?
Sie → Wie geht's?
Wie geht es Ihnen?

8

Gespräche üben: Nach dem Befinden fragen. Arbeiten Sie auf Seite 139.

1 SPRECHTRAINING

AB **9 Das Alphabet**

▶1 09 **a Hören Sie und sprechen Sie nach.**

Diktat

A, a [A]	B, b [Be]	C, c [Ce]	D, d [De]	E, e [E]	F, f [Ef]	G, g [Ge]	H, h [Ha]	I, i [I]	J, j [Jot]
K, k [Ka]	L, l [El]	M, m [Em]	N, n [En]	O, o [O]	P, p [Pe]	Q, q [Qu]	R, r [Er]	S, s [Es]	T, t [Te]
U, u [U]	V, v [Vau]	W, w [We]	X, x [Ix]	Y, y [Ypsilon]	Z, z [Zet]	Ä, ä [A-Umlaut]	Ö, ö [O-Umlaut]	Ü, ü [U-Umlaut]	ß [Es-Zett]

b Diktieren Sie Ihren Namen.

■ Mein Name ist Valerie Wulf.
▲ Wie bitte?
■ Ich buchstabiere: V-a-l-…

▶1 10 AB **10 *Hallo oder tschüs?***
Hören Sie die Wendungen aus dem Bildlexikon und ordnen Sie zu.

interessant?

Begrüßung	Abschied
Hallo	Gute Nacht

~~Hallo~~ | Guten Tag | Guten Morgen | Guten Abend | ~~Gute Nacht~~ | Tschüs | Auf Wiedersehen

11 Verabschieden Sie sich am Ende der Stunde.

Audiotraining

Karaoke

GRAMMATIK

Verb: Konjugation

	kommen	heißen	sein
ich	komme	heiße	bin
du	kommst	heißt	bist
Sie	kommen	heißen	sind
er/sie	kommt	heißt	ist

W-Frage: wer, wie, woher

	Position 2	
Wer	ist	das?
Wie	heißen	Sie?
Woher	kommst	du?

Aussage

	Position 2	
Ich	heiße	Paco.
Ich	komme	aus Österreich.
Mein Name	ist	Valerie.

KOMMUNIKATION

Name

Wie heißen Sie? / Wie heißt du? Wer sind Sie? / Wer bist du?	Ich bin/heiße Nicole. Mein Name ist Paco Rodriguez.

Herkunft

Woher kommen Sie? / Woher kommst du?	(Ich komme) Aus Mexiko.

sich und andere vorstellen

Das ist Paco / Frau Walter. Er/Sie kommt aus Mexiko.

nach dem Befinden fragen

Wie geht es Ihnen? / Wie geht's? / Wie geht es dir?	Sehr gut. / Gut, danke. Es geht. / Nicht so gut.
Gut, danke. Und Ihnen?	Auch gut.

um Wiederholung bitten

Wie bitte?

Ich bin Journalistin. 2

②

③

④

1 Ich bin Diplom-Informatiker.

a Was meinen Sie? Wer ist wer? Sehen Sie die Fotos und die Visitenkarten an.

■ Das ist Markus Bäuerlein.
▲ Ja, das glaube ich auch.
● Nein, ich glaube, das ist …

▶1 11 **b Hören Sie und ordnen Sie zu.**

Hörtext	1	2	3	4
Visitenkarte	___	___	___	___

Ⓐ
Diplom-Informatiker
Sven Henkenjohann
IT-Spezialist
Großbeerenstraße 88
10963 Berlin
Telefon: 030-253812120
Handy: 0163-909865651
sven@galaxsyst.com
www.galaxsyst.com

Ⓑ
Dr. Barbara Meinhardt-Bäuerlein
– JOURNALISTIN –
Blumenallee 24
50858 Köln
Fon: 0221-4823717
Mobil: 0170-121989998
Mail: mb@x-media.de

Ⓒ

Ⓓ
NADINE VAN MECHELEN
Albrechtstraße 35
12167 Berlin
0152-12345430
nadinevm@vmbelge.be

Sprechen: über den Beruf und Persönliches sprechen: *Ich bin Journalistin. / Ich bin nicht verheiratet.*

Lesen: Visitenkarten, Internet-Profil

Schreiben: einen Steckbrief / kurzen Text über sich schreiben

Wortfelder: Berufe, Familienstand, Zahlen 1–100

Grammatik: Konjugation Singular und Plural: *haben, sein, arbeiten …*; Negation mit *nicht*; Wortbildung *-in*

AB 2 Ich arbeite als Journalistin.

▶1 12 **a Hören Sie und ordnen Sie zu.**

Ich bin	Journalistin.
Ich arbeite als	X-Media.
Ich arbeite bei	Historikerin.

GRAMMATIK
Ich bin ...
Ich arbeite als ...
bei ...

b Was machen Sie? Was sind Sie von Beruf? Schreiben Sie Kärtchen und machen Sie ein Plakat. Hilfe finden Sie im Bildlexikon oder im Wörterbuch.

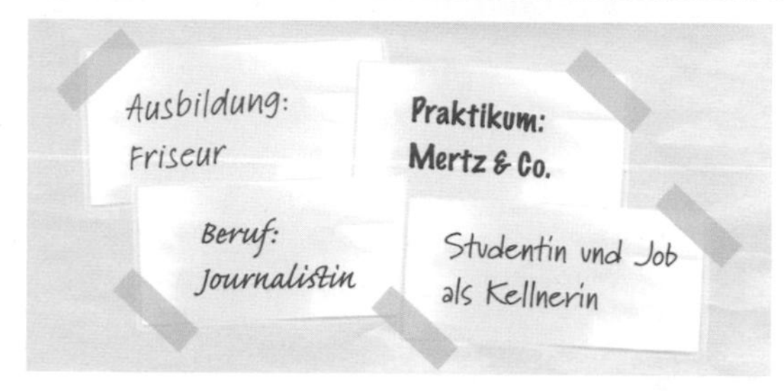

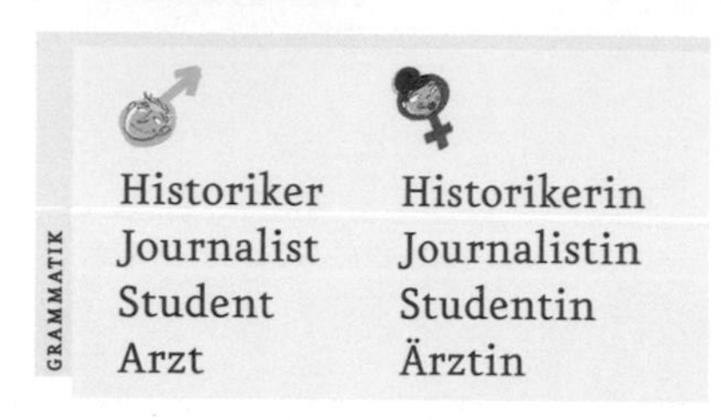

GRAMMATIK

♂	♀
Historiker	Historikerin
Journalist	Journalistin
Student	Studentin
Arzt	Ärztin

Beruf

c Suchen Sie im Kurs. Wer hat die Kärtchen geschrieben?

■ Carmen, was machst du beruflich?
● Ich mache eine Ausbildung als Friseurin.

KOMMUNIKATION
Was machen Sie / machst du beruflich?
Was sind Sie / bist du von Beruf?
Ich bin ... / Ich arbeite als ...
Ich bin Studentin/Schülerin.
Ich mache ein Praktikum bei ... / als ...
Ich mache eine Ausbildung bei ... / als ...
Ich habe einen Job als ...

GRAMMATIK

	arbeiten	**haben**
ich	arbeite	habe
du	arbeit**e**st	hast
Sie	arbeiten	haben

d Schreiben Sie Ihr Internet-Profil: Arbeiten Sie zu zweit auf Seite 140.

AB 3 Wir sind verheiratet.

GRAMMATIK
Wir sind verheiratet.
Wir sind nicht verheiratet.

interessant?

a Familienstand: Ordnen Sie zu.

○ Wir sind geschieden.
④ Wir sind nicht verheiratet, aber Peter und ich leben zusammen.
○ Wir haben ein Kind.
○ Ich bin verheiratet.
○ Ich bin Single. / Ich lebe allein.

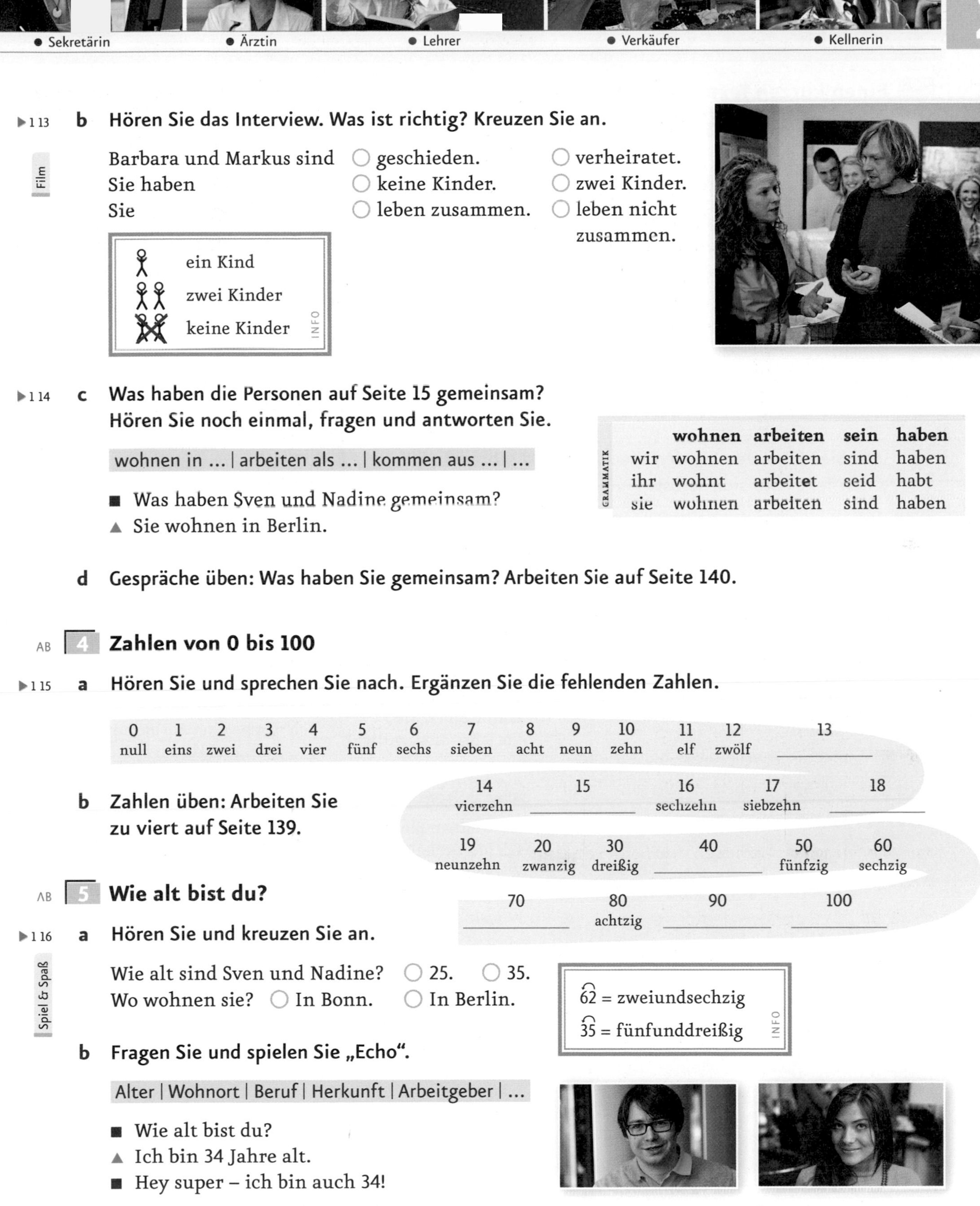

▶1 13 **b Hören Sie das Interview. Was ist richtig? Kreuzen Sie an.**

Film

Barbara und Markus sind	◯ geschieden.	◯ verheiratet.
Sie haben	◯ keine Kinder.	◯ zwei Kinder.
Sie	◯ leben zusammen.	◯ leben nicht zusammen.

INFO
- ein Kind
- zwei Kinder
- keine Kinder

▶1 14 **c Was haben die Personen auf Seite 15 gemeinsam? Hören Sie noch einmal, fragen und antworten Sie.**

wohnen in … | arbeiten als … | kommen aus … | …

■ Was haben Sven und Nadine gemeinsam?
▲ Sie wohnen in Berlin.

GRAMMATIK

	wohnen	arbeiten	sein	haben
wir	wohnen	arbeiten	sind	haben
ihr	wohnt	arbeitet	seid	habt
sie	wohnen	arbeiten	sind	haben

d Gespräche üben: Was haben Sie gemeinsam? Arbeiten Sie auf Seite 140.

AB
4 Zahlen von 0 bis 100

▶1 15 **a Hören Sie und sprechen Sie nach. Ergänzen Sie die fehlenden Zahlen.**

0	1	2	3	4	5	6	7	8	9	10	11	12	13
null	eins	zwei	drei	vier	fünf	sechs	sieben	acht	neun	zehn	elf	zwölf	______

14	15	16	17	18
vierzehn	______	sechzehn	siebzehn	______

19	20	30	40	50	60
neunzehn	zwanzig	dreißig	______	fünfzig	sechzig

70	80	90	100
______	achtzig	______	______

b Zahlen üben: Arbeiten Sie zu viert auf Seite 139.

AB
5 Wie alt bist du?

▶1 16 **a Hören Sie und kreuzen Sie an.**

Spiel & Spaß

Wie alt sind Sven und Nadine? ◯ 25. ◯ 35.
Wo wohnen sie? ◯ In Bonn. ◯ In Berlin.

INFO
62 = zweiundsechzig
35 = fünfunddreißig

b Fragen Sie und spielen Sie „Echo".

Alter | Wohnort | Beruf | Herkunft | Arbeitgeber | …

■ Wie alt bist du?
▲ Ich bin 34 Jahre alt.
■ Hey super – ich bin auch 34!

noch einmal?
6 Texte verstehen: Stellen Sie andere Personen vor.
Arbeiten Sie auf Seite 144. Ihre Partnerin / Ihr Partner arbeitet auf Seite 148.

SCHREIBTRAINING

AB **7** **Einen kurzen Text über sich schreiben**

Diktat

a **Lesen Sie den Steckbrief und den Text und markieren Sie die Verben.**

STECKBRIEF

Vorname:	Mette
Familienname:	Svendsen
Herkunft:	Dänemark
Wohnort:	Kopenhagen
Beruf:	Studentin / Job als Kellnerin
Alter:	24
Familienstand:	Single
Kinder:	keine Kinder

Ich heiße Mette Svendsen und komme aus Dänemark. Ich wohne in Kopenhagen. Ich bin Studentin und habe einen Job als Kellnerin. Ich bin 24 Jahre alt, Single und habe keine Kinder.

b **Und Sie? Ergänzen Sie den Steckbrief und schreiben Sie einen Text über sich selbst.**

STECKBRIEF

Vorname:	
Familienname:	
Herkunft:	
Wohnort:	
Beruf:	
Alter:	
Familienstand:	
Kinder:	

Audiotraining

Karaoke

GRAMMATIK

Verb: Konjugation

	machen	arbeiten	haben	sein
ich	mache	arbeite	habe	bin
du	machst	arbeitest	hast	bist
er/sie	macht	arbeitet	hat	ist
wir	machen	arbeiten	haben	sind
ihr	macht	arbeitet	habt	seid
sie/Sie	machen	arbeiten	haben	sind
	auch so: wohnen, leben ...			

Präpositionen als, bei, in

als	Ich arbeite als Journalistin.
bei	Ich arbeite bei X-Media.
in	Ich lebe in Köln.

Wortbildung -in

♂	♀
der Journalist	die Journalistin
der Arzt	die Ärztin

Negation mit nicht

Wir leben nicht zusammen.

Sie wohnt nicht in Köln.

KOMMUNIKATION

über den Beruf sprechen

Was sind Sie / bist du von Beruf? Was machen Sie / machst du beruflich?	Ich bin/arbeite als ... bei ... Ich bin Student/Schülerin. Ich habe einen Job als ... Ich mache eine Ausbildung als ... / ein Praktikum bei ...

über Persönliches sprechen

Wo wohnen Sie / wohnst du? – Ich wohne/lebe in ...
Ich bin verheiratet/geschieden/Single.
Wir leben zusammen / nicht zusammen.
Ich habe ein Kind / zwei, drei ... Kinder / keine Kinder.
Wie alt sind Sie / bist du? – Ich bin ... Jahre alt.

Das ist meine Mutter. 3

Hören/Lesen: Drehbuchausschnitt

Sprechen: über die Familie: *Das sind meine Eltern.*; über Sprachkenntnisse: *Ich spreche sehr gut Englisch.*

Wortfelder: Familie, Sprachen

Grammatik: Ja/Nein-Fragen, *ja – nein – doch*; Possessivartikel *mein/dein*; Verben mit Vokalwechsel: *ich spreche – du sprichst*

▶1 17 **1 Sehen Sie das Foto an, hören Sie und kreuzen Sie an.**

	glaube ich	glaube ich nicht
a Die Frau auf dem Bild ist Herberts Mutter.	○	○
b Die Frau auf dem Bild ist Herberts Frau.	○	○

▶1 18 **2 Was sagt Mark? Hören Sie und kreuzen Sie an.**

Mark Poppenreuther (21)

	richtig	falsch
a Das sind meine Eltern.	○	○
b Sie sind Schauspieler.	○	○
c Sie leben in Frankfurt.	○	○
d Meine Schwester, mein Opa und ich sind auch Schauspieler.	○	○
e Ich studiere Physik.	○	○

AB **3** **Ich bin nicht verheiratet.**

▶1 19 **a** **Lesen Sie den Drehbuch-Ausschnitt und hören Sie noch einmal. Ergänzen Sie dann die Tabelle.**

GRAMMATIK

	♂		♀	
ich	mein	Mann	______	Mutter
du	dein	Vater	______	Frau

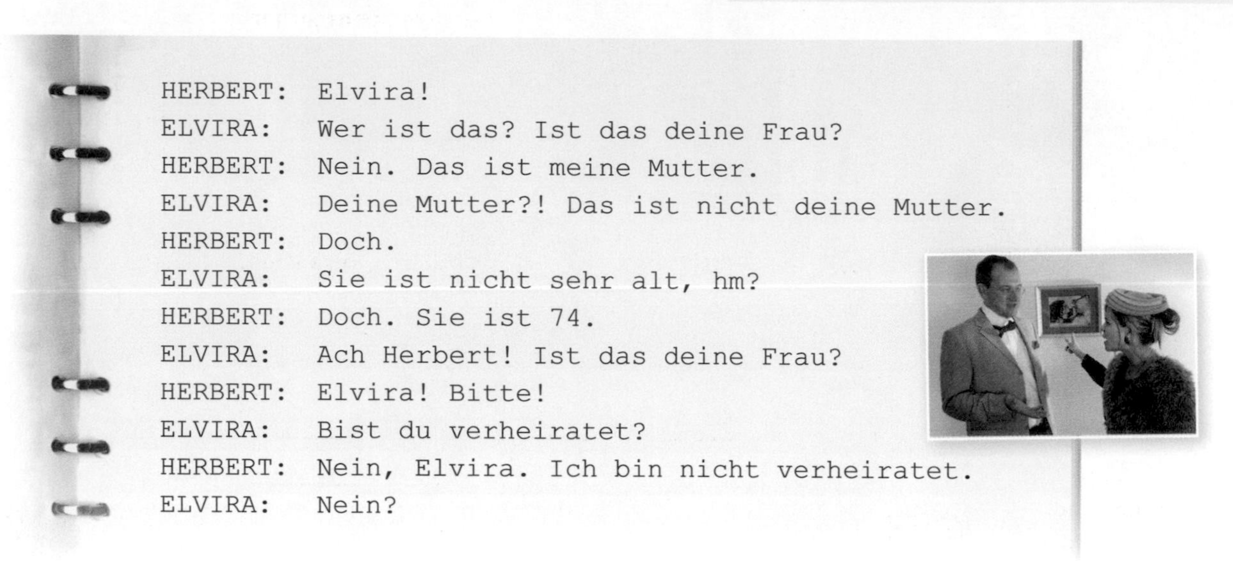

HERBERT: Elvira!
ELVIRA: Wer ist das? Ist das deine Frau?
HERBERT: Nein. Das ist meine Mutter.
ELVIRA: Deine Mutter?! Das ist nicht deine Mutter.
HERBERT: Doch.
ELVIRA: Sie ist nicht sehr alt, hm?
HERBERT: Doch. Sie ist 74.
ELVIRA: Ach Herbert! Ist das deine Frau?
HERBERT: Elvira! Bitte!
ELVIRA: Bist du verheiratet?
HERBERT: Nein, Elvira. Ich bin nicht verheiratet.
ELVIRA: Nein?

b **Jetzt sind Sie selbst Schauspieler. Spielen Sie ähnliche Dialoge.**

1 deine Frau – meine Oma
2 dein Mann – mein Vater
3 dein Mann – mein Opa

■ Wer ist das? Ist das deine Frau?
▲ Nein. Das ist meine Oma.
■ Deine Oma?! …

AB **4** **Wer ist das?**

Spiel & Spaß

a **Lesen Sie den Text in 3a noch einmal und markieren Sie die Verben. Ergänzen Sie dann.**

GRAMMATIK

W-Frage	Wer	______	das?
Aussage	Das	______	meine Mutter.
Ja/Nein-Frage		______	das deine Frau?

b **Wie gut kennen Sie die Personen in *Menschen*? Arbeiten Sie zu viert auf Seite 142.**

AB **5** **Ist das deine Frau?**

a **Lesen Sie den Text in 3a noch einmal und ergänzen Sie *nein* und *doch*.**

GRAMMATIK

	☺	☹
Ist das deine Frau?	Ja.	______
Ist das nicht deine Mutter?	______	Nein.

b ***ja – nein – doch*** **üben. Arbeiten Sie zu zweit auf Seite 142.**

● Geschwister ● Großvater/Opa ● Großmutter/Oma ● Großeltern ● Enkelin ● Enkel ● (Ehe)Mann ● (Ehe)Frau

AB **6** **Marks Familie**

▶1 20 **a Sehen Sie das Bildlexikon an und hören Sie. Ergänzen Sie dann die Familienmitglieder.**

Spiel & Spaß

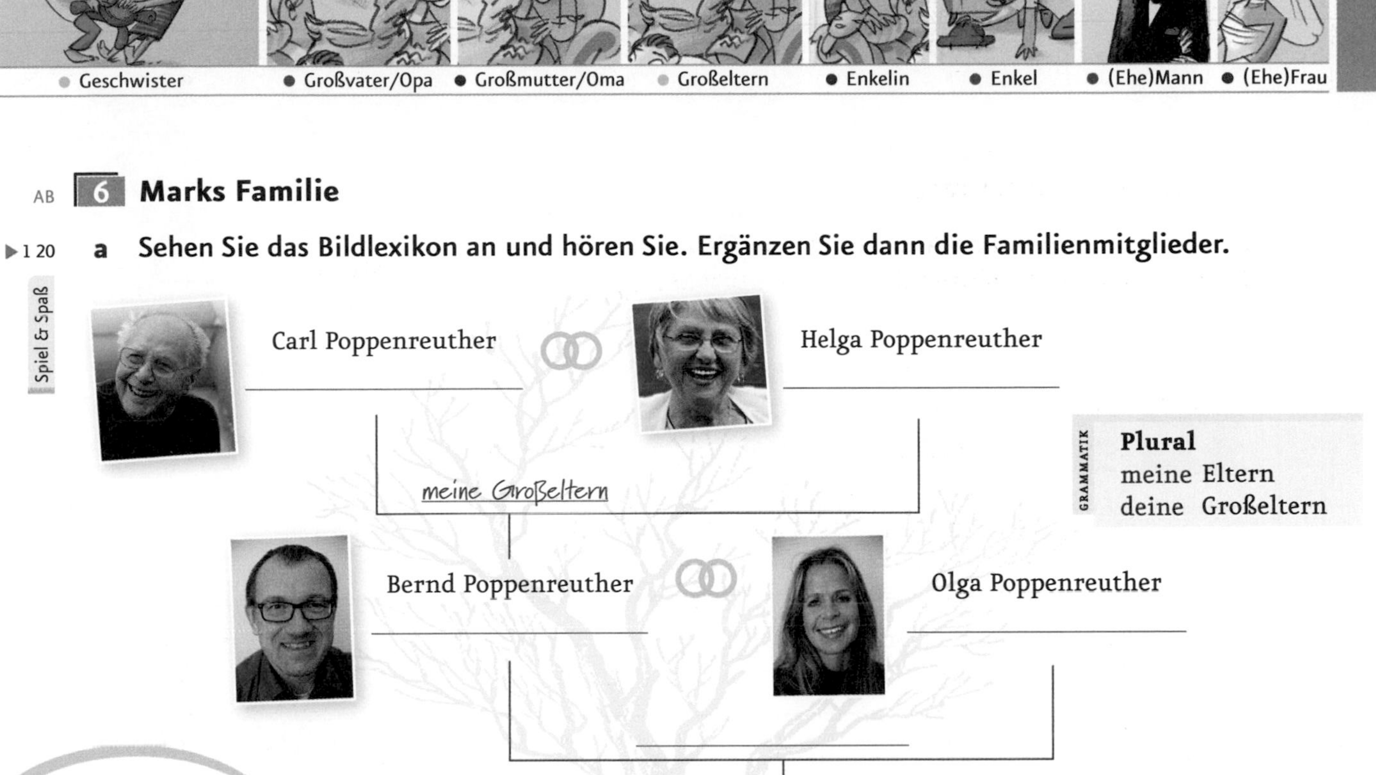

GRAMMATIK
Plural
meine Eltern
deine Großeltern

Carl und Helga Poppenreuther sind meine Großeltern.

Angelica

Diktat

b Was sagen andere Familienmitglieder? Spielen Sie Helga, Bernd oder Angelica.

Ich bin Helga. Mein Sohn heißt Bernd. Das ist mein Enkel. Er heißt …

AB **7** **Schreiben Sie vier Namen auf einen Zettel.**
Wer sind die Personen? Die anderen raten.

Ewa, Frank, Tobias, Hilde

Kollege/Kollegin | Freund/Freundin | Partner/Partnerin | …

■ Ist Ewa deine Schwester?
▲ Nein, Ewa ist nicht meine Schwester.

■ Ist sie deine Freundin?
▲ Ja, das ist richtig. Ewa ist meine Freundin.

8 **Familiengeschichten**
Interviewen Sie Ihre Partnerin / Ihren Partner über ein Familienmitglied und machen Sie Notizen.

Beruf

Name | Beruf | Alter | Wohnort | Familienstand | Kinder | …

Bruder
Name: Miguel
Beruf: …

■ Wie heißt dein Bruder?
▲ Er heißt Miguel.
■ Was ist er von Beruf?
▲ Er ist …

3

MINI-PROJEKT

AB **9** **Ein Land – viele Sprachen**

a **Wo in der Schweiz spricht man welche Sprache? Markieren Sie die Gebiete farbig. Die Auflösung finden Sie auf Seite 141.**

Deutsch | Französisch | Italienisch | Rätoromanisch

Basel
Zürich
Bern
Genf

interessant?

b **Welche Sprachen sprechen Sie? Hilfe finden Sie auch im Wörterbuch.**

Spanisch | Englisch | Russisch | Finnisch | Luxemburgisch |

Niederländisch | Polnisch | Schwedisch | Slowakisch | Slowenisch |

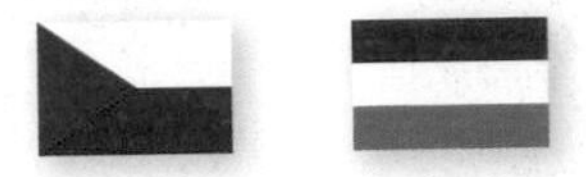

Tschechisch | Ungarisch | ...

KOMMUNIKATION
Welche Sprachen sprichst du / sprechen Sie?
Ich spreche sehr gut / gut / ein bisschen ...

GRAMMATIK

	sprechen
ich	spreche
du	sprichst
er/sie	spricht

c **Welche Sprachen sprechen wir? Machen Sie eine Kursstatistik.**

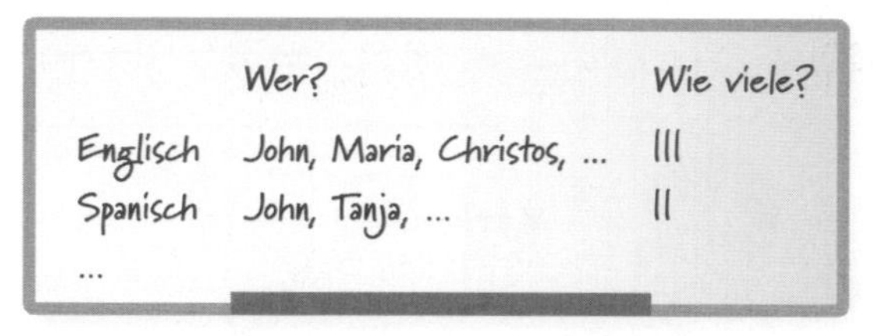

Audiotraining

Karaoke

GRAMMATIK

Possessivartikel mein/dein			
	maskulin	**feminin**	**Plural**
ich →	mein Bruder	meine Schwester	meine Eltern
du →	dein Bruder	deine Schwester	deine Eltern

Ja-/Nein-Frage, W-Frage und Aussage			
Ja-/Nein-Frage		Ist	das deine Frau?
W-Frage	Wer	ist	das?
Aussage	Das	ist	meine Frau.

ja / nein / doch	
Ist das deine Frau?	Ja, (das ist meine Frau). Nein, (das ist nicht meine Frau).
Das ist nicht deine Frau?	Doch, (das ist meine Frau). Nein, (das ist nicht meine Frau).

Verb sprechen: Konjugation mit Vokalwechsel			
ich	spreche	wir	sprechen
du	sprichst	ihr	sprecht
er/sie	spricht	sie/Sie	sprechen

KOMMUNIKATION

Familie
Das sind meine Eltern. / Das ist meine Mutter.
Ist Ewa deine Schwester? – Nein, Ewa ist nicht meine Schwester. Ewa ist meine Freundin.

Sprachkenntnisse
Welche Sprachen sprechen Sie / sprichst du? – Ich spreche (sehr gut / gut / ein bisschen) Deutsch und Englisch.

DAS BIN ICH.

Ich heiße Paco Rodriguez. Ich bin 23 Jahre alt und komme aus Mexiko. Ich wohne in München und studiere Biochemie. Ich bin nicht verheiratet und meine Hobbys sind Skaten und Fotografie. Mein Sternzeichen ist Waage.

Das ist mein Bruder Miguel. Er ist 31. Er lebt in den USA, in Kalifornien. Er ist Ingenieur und arbeitet bei SunTex in Palo Alto. Miguel ist verheiratet und hat ein Kind. Miguels Frau heißt Patricia. Sie ist 27 und arbeitet als Krankenschwester. Das Baby ist meine Nichte Eliza.

Ich heiße Nicole Moser. Ich bin 22 Jahre alt und komme aus Österreich. Meine Heimatstadt ist Wien. Zurzeit lebe und studiere ich aber in München. Ich bin nicht verheiratet. Meine Hobbys sind Kochen, Musik machen und Singen. Mein Sternzeichen ist Widder.

Das ist mein Bruder Florian. Er ist 24 und lebt zurzeit in Spanien. Er spricht vier Fremdsprachen perfekt: Englisch, Französisch, Spanisch und Italienisch. Florian studiert Business Management in Barcelona. Er ist bald fertig und geht dann zurück nach Österreich.

1 Lesen Sie die Texte und korrigieren Sie die Sätze.

a Paco kommt aus ~~Spanien~~. — *Paco kommt aus Mexiko.*
b Paco ist arbeitslos. ______
c Miguel ist geschieden. ______
d Patricia arbeitet als Verkäuferin. ______
e Nicole kommt aus Graz und studiert in Wien. ______
f Florian spricht zwei Fremdsprachen. ______

2 Und Sie? Wer sind Sie? Schreiben Sie über sich und über ein Familienmitglied.

▶ Clip 1

1 Guten Tag! Grüß Gott! – Sehen Sie den Film und ordnen Sie zu: Wer sagt was?

Auf Wiederschauen! | Auf Wiedersehen! | Guten Abend! | Guten Morgen! | Grüß Gott! | Hallo! | Tschüs! | Uf Wiederluege mitenand!

▶ Clip 2

2 Ich bin Friseurin. – Sehen Sie die Reportage und korrigieren Sie die Steckbriefe.

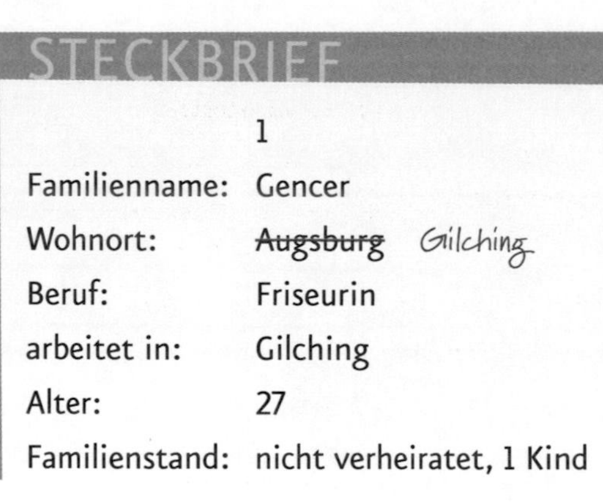

STECKBRIEF

	1
Familienname:	Gencer
Wohnort:	~~Augsburg~~ Gilching
Beruf:	Friseurin
arbeitet in:	Gilching
Alter:	27
Familienstand:	nicht verheiratet, 1 Kind

STECKBRIEF

	2
Familienname:	Nickels
Wohnort:	Gilching
Beruf:	Ingenieurin
arbeitet in:	München
Alter:	39
Familienstand:	geschieden

▶ Clip 3

3 Das ist meine Familie. – Sehen Sie die Foto-Story und ordnen Sie zu.

Das ist mein Vater.

Das ist Aileen.

Er ist schon 62.

Sie heißt Tanja.

Sie sind verheiratet und haben ein Kind.

Sie ist 57.

Das ist Otto.

Mein Vater lebt jetzt in New York.

Sie ist Amerikanerin.

Das ist meine Schwester.

Sie wohnt auch in New York.

Meine Mutter lebt hier in Wien.

Sie leben jetzt in Graz.

1 Lesen Sie den Text und ergänzen Sie den Stammbaum.

Heidi Klum

Heidi Klum ist die Tochter von Erna und Günther Klum und kommt aus Deutschland. Sie ist am 1.6.1973 in Bergisch Gladbach geboren. Heidi Klums Vater ist Chemiefacharbeiter. Jetzt arbeitet er aber als Manager von Heidi Klum. Er ist verheiratet mit Erna Klum. Erna Klum ist von Beruf Friseurin, aber sie arbeitet nicht mehr.
Heidi Klum ist Model und Moderatorin. In Deutschland moderiert sie die Show *Germany's Next Topmodel*. Bis 2012 ist Heidi Klum mit Seal zusammen. Seal ist von Beruf Sänger und kommt aus London. Heidi Klum hat vier Kinder. Sie heißen Leni, Henry, Johan und Lou. Sie wohnen zurzeit in den USA.

Mutter: Erna
Beruf: ____________

Vater: ____________
Beruf: Chemiefacharbeiter
arbeitet als: ____________

Heidi Klum
(Heidi Samuel)
Beruf: ____________
Herkunft: ____________

Seal
(Seal Samuel)
Beruf: ____________
Herkunft: ____________

Wohnort: ____________

Kinder:
Leni ____________ ____________ ____________

2 Prominente aus den deutschsprachigen Ländern

a Wählen Sie eine bekannte Person und suchen Sie Informationen zu Familie und Beruf im Internet. Machen Sie ein Poster mit einem Stammbaum wie in **1**.

b Präsentieren Sie Ihre Ergebnisse im Kurs.

Meine Person heißt Heidi Klum.
Sie kommt aus ...

KOMMUNIKATION
Meine Person heißt ...
Sie/Er kommt aus ... und ist ...
Die Eltern heißen ...
Der Vater /Die Mutter arbeitet als ...
... ist verheiratet/geschieden/...
... und ... haben ... Kinder.
Sie wohnen in ...

▶1 21 **1 Hören Sie das Lied und suchen Sie die Städte auf der Karte.**

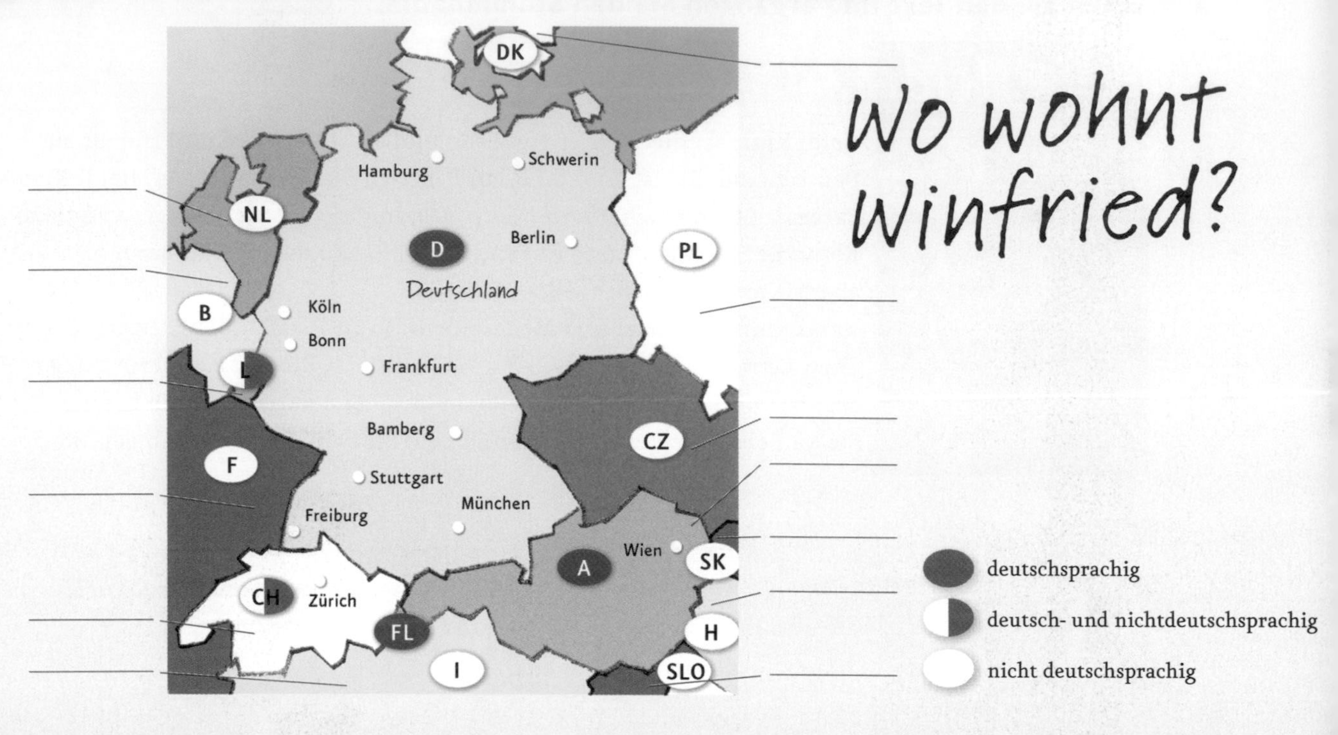

2 Winfried wohnt in ...

a Erinnern Sie sich an die Menschen in den ersten drei Lektionen? Wer ist wer? Ergänzen Sie die Namen.

A Sven Henkenjohann ______ wohnt in Berlin und arbeitet als IT-Spezialist bei Galaxsyst.
B ______ kommt aus Mexiko und wohnt in München.
C ______ ist 21 und studiert in Stuttgart.
D ______ ist Architekt und wohnt in Bonn.
E ______ ist Journalistin. Sie kommt aus der Schweiz und lebt in Köln.
F ______ ist verheiratet. Sie arbeitet als Schauspielerin und lebt in Freiburg.

b Wo wohnt Winfried? Suchen Sie die passenden Buchstaben in 2a.

1 = A, Nachname: Buchstabe 1
2 = B, Vorname: Buchstabe 2
3 = C, Vorname: Buchstabe 1
4 = D, Nachname: Buchstabe 1
5 = E, Nachname: Buchstabe 12
6 = F, Nachname: Buchstabe 7
7 = F, Vorname: Buchstabe 3

Wie heißt die Stadt? Lösung:

H _ _ _ _ _ _
1 2 3 4 5 6 7

3 Ergänzen Sie die Ländernamen auf der Karte.

Belgien | Dänemark | ~~Deutschland~~ | Frankreich | Italien | Liechtenstein | Luxemburg | Niederlande | Österreich | Polen | Schweiz | Slowakei | Slowenien | Tschechien | Ungarn

Der Tisch ist schön! 4

Hören: Beratungsgespräche / Hilfe anbieten

Sprechen: nach Preisen fragen und Preise nennen: *Wie viel kostet denn der Tisch?*; etwas bewerten: *Das finde ich schön.*

Wortfelder: Zahlen: 100 – 1.000.000, Möbel, Adjektive

Grammatik: definiter Artikel *der/das/die*; Personalpronomen *er/es/sie*

1 Wie heißen die Möbel auf Deutsch?
Zeigen Sie auf dem Foto und nennen Sie die Wörter.
Hilfe finden Sie im Bildlexikon auf Seite 28 und 29.

▶ 1 22 **2 Wer sagt was? Hören Sie und ordnen Sie zu.**

Sibylle sagt,	der Tisch ist	zu groß.
Artur sagt,	das Bett ist	schön.
		modern.
		nicht schlecht.
		praktisch.

INFO
schlecht ≠ gut
groß ≠ klein

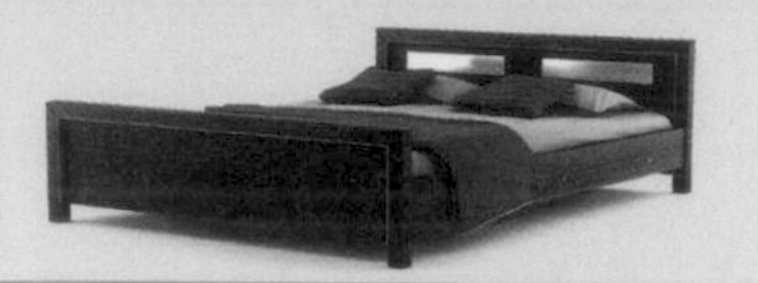

● Bett

● Bild

● Sessel

● Lampe

● Stuhl

▶1 23 AB

3 Das ist aber teuer!

a Was passt? Hören Sie das Gespräch weiter und ordnen Sie zu.

1 Der Tisch kostet A. Das ist __!

2 Die Lampe kostet __. Das ist __!

b Wer sagt was? Hören Sie noch einmal und kreuzen Sie an.

			Verkäufer	Sibylle
a	___	Ja, bitte. Wie viel kostet denn der Tisch?	○	⊗
b	1	Brauchen Sie Hilfe?	○	○
c	___	Der Tisch kostet 1478 Euro.	○	○
d	___	Ja. Das ist zu teuer!	○	○
e	___	Das ist aber sehr teuer!	○	○
f	___	Finden Sie?	○	○
g	___	Sie kommt aus Italien. Der Designer heißt Enzo Carotti.	○	○
h	___	Was kostet die Lampe?	○	○
i	___	Die Lampe kostet nur 119 Euro. Das ist sehr günstig. Ein Sonderangebot.	○	○
j	___	Die Lampe ist wirklich sehr schön und nicht teuer!	○	○

noch einmal?

c Ordnen Sie die Sätze in b.

AB

4 *der, das oder die?*

a Ordnen Sie die Wörter aus dem Bildlexikon zu.

GRAMMATIK

definiter Artikel

● der Sessel,

● das Bett,

● die Lampe,

▶1 24

b Artikeltanz: Hören Sie die Nomen und tanzen Sie.

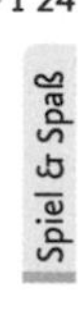

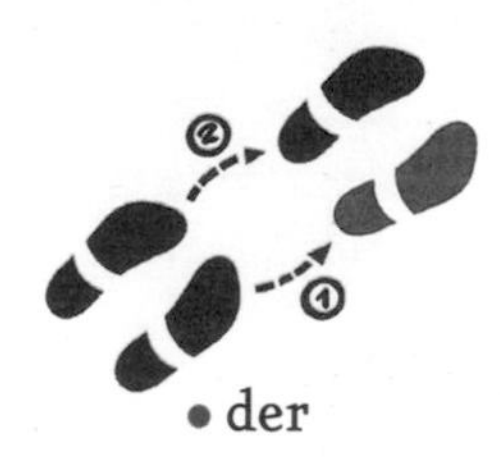

● der

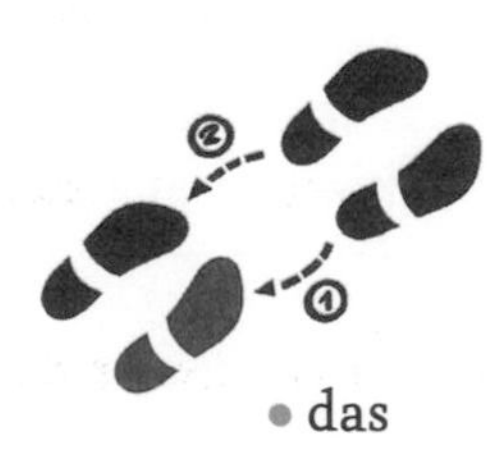

● das

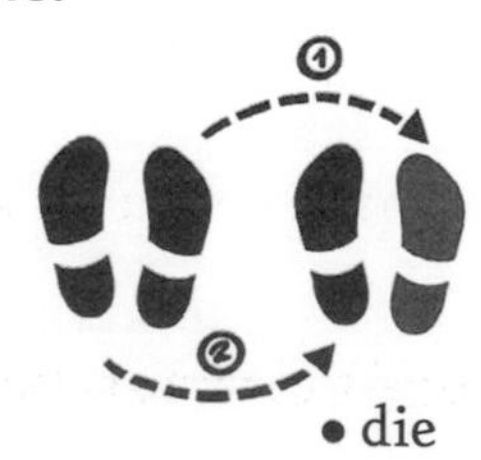

● die

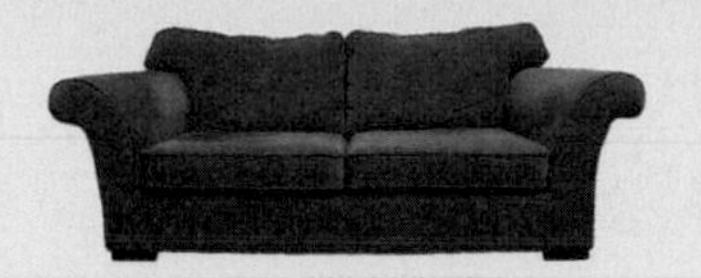

● Sofa / ● Couch ● Tisch ● Schrank ● Teppich

▶ 1 25 AB

5 Ergänzen Sie die Zahlenschlange. Hören Sie dann und vergleichen Sie.

Spiel & Spaß

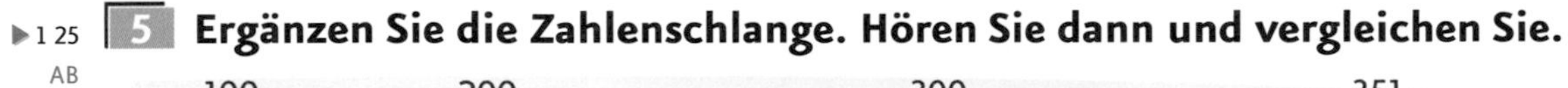
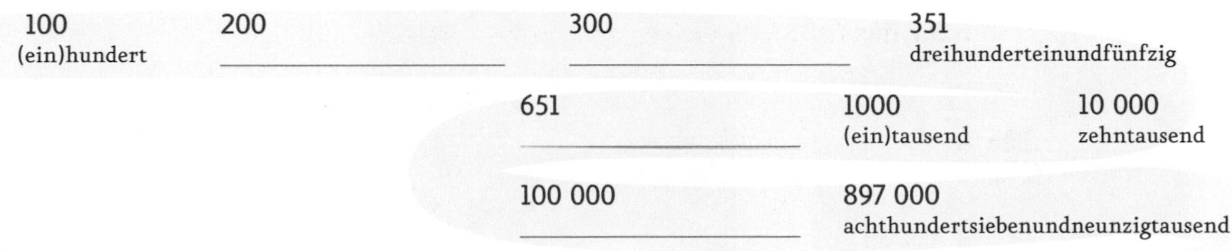

100 (ein)hundert
200 ______
300 ______
351 dreihunderteinundfünfzig
651 ______
1000 (ein)tausend
10 000 zehntausend
100 000 ______
897 000 achthundertsiebenundneunzigtausend
898 000 ______
1 000 000 eine Million

AB

6 Wie viel kostet das?

▶ 1 26-28

a Hören Sie und notieren Sie die Preise.

① ______ €

② ______ €

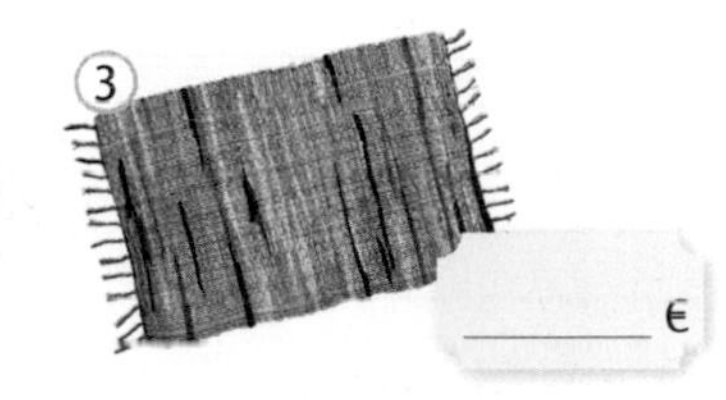
③ ______ €

Diktat

b Gespräche üben: Nach Preisen fragen und Preise nennen. Arbeiten Sie zu zweit auf Seite 145.

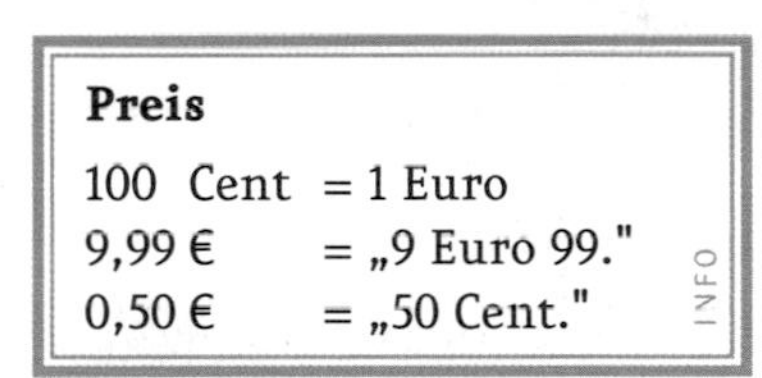

Preis

100 Cent	=	1 Euro
9,99 €	=	„9 Euro 99."
0,50 €	=	„50 Cent."

INFO

AB

7 Was kostet die Lampe?

a Was sagt der Verkäufer aus **3b**? Kreuzen Sie an. Ergänzen Sie dann die Tabelle.

Die Lampe kostet 119 Euro. → ○ Er ○ Es ○ Sie kommt aus Italien.

GRAMMATIK

● Tisch	→	er
● Bett	→	es
● Lampe	→	____

b Puzzle: Was kostet der Schrank? Arbeiten Sie zu zweit auf Seite 145.

8 Fridolins Möbel

a Sehen Sie die Bilder an. Was ist das Problem? Kreuzen Sie an.

Film

b Wie finden Sie die Aufgabe? ○ zu leicht ○ okay ○ zu schwer

AB

9 Gespräche üben: etwas bewerten. Arbeiten Sie zu zweit auf Seite 146.

▶ 1 29 AB

10 **Ergänzen Sie *bitte* oder *danke*. Hören Sie dann und vergleichen Sie.**

Brauchen Sie Hilfe? – Ja, bitte.

Kaffee? – Nein, ________.

Das macht dann 9 Euro 95, ________.

Wie ________?

Vielen Dank! – ________.

11 **Wie übersetzen Sie *bitte* und *danke*?**
Übersetzen Sie die Gespräche in 10 in Ihre Muttersprache.

Audiotraining | Karaoke

GRAMMATIK

definiter Artikel der/das/die		
Nominativ Singular	**definiter Artikel**	
• maskulin	Der Tisch	ist schön.
• neutral	Das Bett	
• feminin	Die Lampe	

Personalpronomen er/es/sie		
• maskulin	der Tisch:	Er kostet …
• neutral	das Bett:	Es kostet …
• feminin	die Lampe:	Sie kostet …

KOMMUNIKATION

Beratungsgespräche	
Brauchen Sie Hilfe?	Ja, bitte.
Wie viel / Was kostet (denn) die Lampe?	Die Lampe kostet (nur) 119 Euro. Das ist ein Sonderangebot.

etwas bewerten
Das ist (sehr/zu/aber) teuer/günstig/billig. Der Tisch ist zu groß / zu klein. Ich finde die Lampe (wirklich) sehr schön. Das finde ich auch. / Das finde ich nicht. Finden Sie? / Findest du?

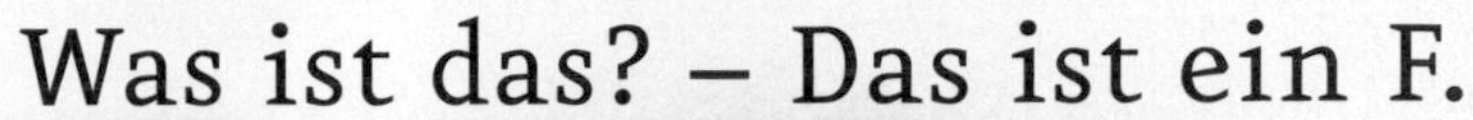

Was ist das? – Das ist ein F.

5

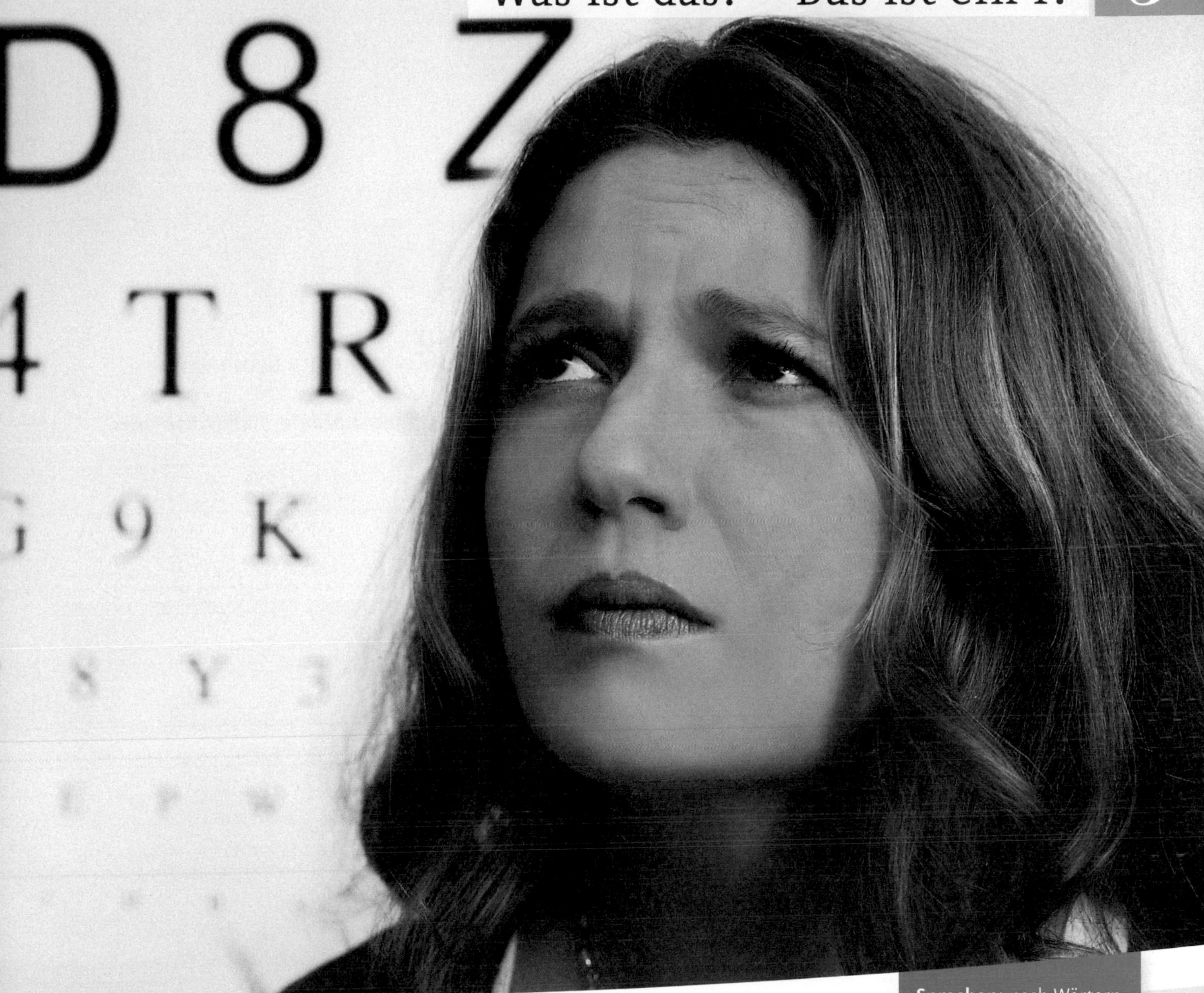

1 Frau Paulig beim Augenarzt

▶1 30 **a Was ist das? Sehen Sie das Foto an, hören Sie und kreuzen Sie an.**

◯ Das ist ein P. ◯ Das ist ein F. ◯ Das ist ein T.

b Was sehen *Sie* hier? Markieren Sie und sprechen Sie.

F Ⓣ R	3 6 8	F T Y	3 5 8	V U O	H W R

■ Ich glaube, das ist ein P.

▲ Ja, das glaube ich auch.

● Nein. Das ist ein F.

● Bleistift ● Brille ● Buch ● Flasche ● Feuerzeug

AB **2** **Was ist das?**

a **Lesen Sie den Comic und ergänzen Sie die Tabelle.**

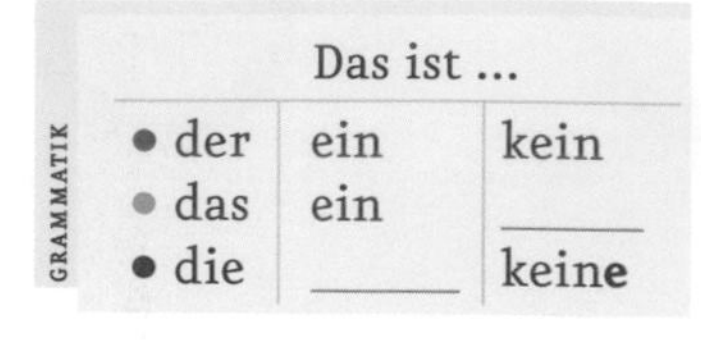

GRAMMATIK

	Das ist ...	
● der	ein	kein
● das	ein	______
● die	______	keine

Spiel & Spaß

b **Wie übersetzen Sie *ein/eine – kein/keine*? Übersetzen Sie den Comic in Ihre Muttersprache.**

c **Spielen Sie wie im Comic: Was ist das? Zeichnen Sie Gegenstände aus dem Bildlexikon oder Möbel (Lektion 4) an die Tafel. Die anderen raten.**

AB **3** **Was gehört zusammen?**

a **Ordnen Sie die Produktinformationen den Brillen zu.**

interessant?

b **Lesen Sie den Text in a noch einmal und ergänzen Sie.**

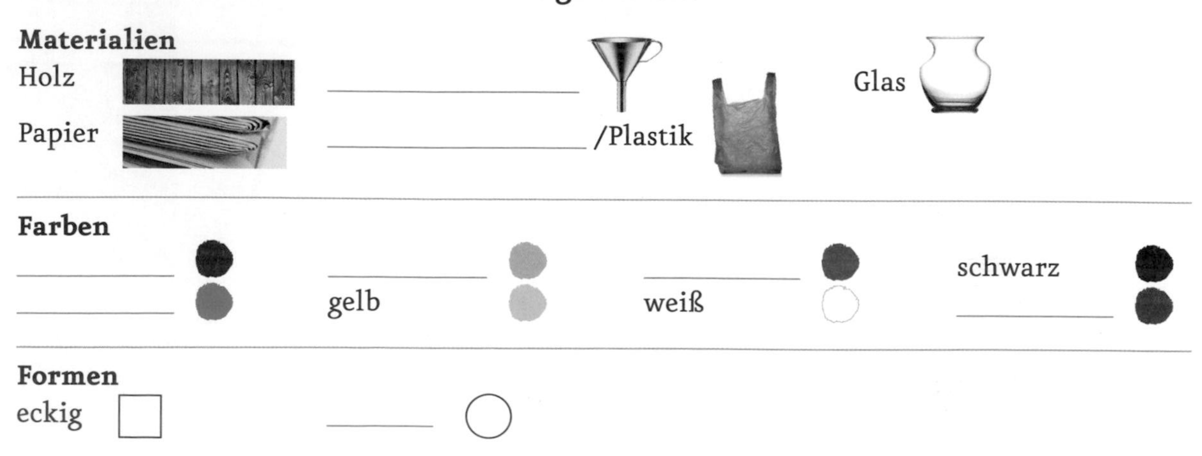

Materialien

Holz ______ Glas

Papier ______ /Plastik

Farben

______ ______ ______ schwarz

______ gelb weiß ______

Formen

eckig ______

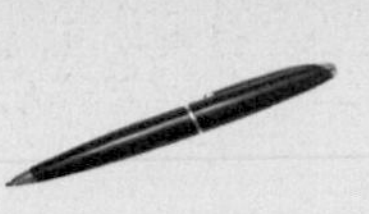

● Fotoapparat ● Kette ● Kugelschreiber ● Schlüssel ● Tasche

4 Eine Designerbrille für Frau Paulig

a Zeichnen Sie eine Brille in das Foto.

Diktat

b Schreiben Sie eine Produktinformation zu „Ihrer" Brille. Mischen Sie die Texte und suchen Sie die passende Brille im Kurs.

Die Brille ist rot und eckig ...

AB Film

5 Gespräche üben: Produkte beschreiben.

Arbeiten Sie auf Seite 150.

▶ 1 31-35

6 Wie heißt das auf Deutsch?

AB **a** Hören Sie und ordnen Sie die Gespräche den Fotos zu.

①  ○  ○  ○  ○ 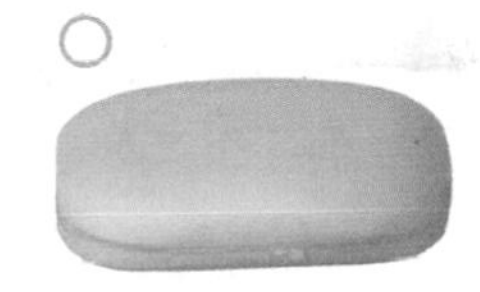

b Ergänzen Sie das Wort, markieren Sie den richtigen Artikel und das richtige Pronomen und ordnen Sie die Farben zu.

1 Das ist ein / eine Uhr. — Er / Es / Sie ist — blau.
2 Das ist ein / eine ______. — Er / Es / Sie ist — rot.
3 Das ist ein / eine ______. — Er / Es / Sie ist — gelb.
4 Das ist ein / eine ______. — Er / Es / Sie ist — grün.
5 Das ist ein / eine ______. — Er / Es / Sie ist — braun.

c Wer sagt was? Ordnen Sie zu.

~~Entschuldigung, wie heißt das auf Deutsch?~~ | Wie schreibt man ...? | Kein Problem. | Das ist eine ... | Noch einmal, bitte. | Das ist eine Uhr.

INFO: man = jeder/alle

■ (1) Entschuldigung, wie heißt das auf Deutsch?
▲ (2) ______ Uhr.
■ Wie bitte? (3) ______
▲ (4) ______
■ (5) ______ Uhr?
▲ U – H – R.
■ Danke.
▲ Bitte schön. (6) ______

Spiel & Spaß

d Gespräche üben: nach Wörtern fragen. Arbeiten Sie zu zweit auf Seite 151.

5 SCHREIBTRAINING

7 Im Internet bestellen

a Sehen Sie die Produkte und die Bestellung an. Welche Informationen fehlen? Ergänzen Sie.

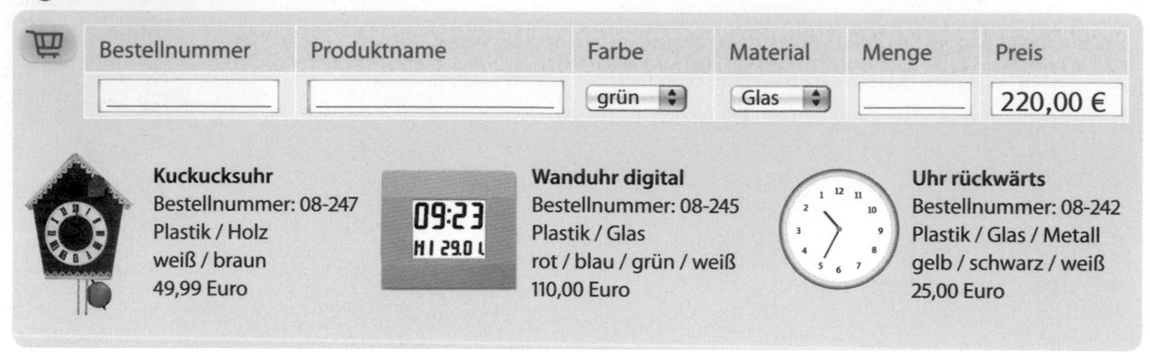

b Welche Uhr möchten *Sie* bestellen?
Ergänzen Sie die Bestellung und Ihre persönlichen Angaben.

Bestellnummer	Produktname	Farbe	Material	Menge	Preis
______	______	______	______	______	______

Persönliche Angaben	Meine Adresse
Anrede: ☐ Frau ☐ Herr	Straße / Hausnummer:
Vorname:	PLZ / Ort:
Name:	Land:
E-Mail:	Telefon:
Geburtsdatum: __ / __ / ____	Fax:

Audiotraining | Karaoke

GRAMMATIK

indefiniter Artikel ein/eine und Negativartikel kein/keine

	indefiniter Artikel	Negativartikel
	Das ist ...	
• maskulin	ein Schlüssel	kein Schlüssel
• neutral	ein Buch	kein Buch
• feminin	eine Brille	keine Brille

KOMMUNIKATION

nach Wörtern fragen / Wörter nennen

Entschuldigung, wie heißt das auf Deutsch?
Wie schreibt man ...?
Das ist ein/eine ...

um Wiederholung bitten

Noch einmal, bitte.
Wie bitte?

sich bedanken und darauf reagieren

Danke. – Bitte schön. / Bitte. (Gern.) / Kein Problem.

einen Gegenstand beschreiben

Die Brille ist aus Kunststoff/...
Die Brille ist rund/eckig/..., rot/braun/... und modern/...

Ich brauche kein Büro. 6

Hören: Telefongespräche

Sprechen: Telefonstrategien: *Hier ist ...; Auf Wiederhören.*

Lesen: E-Mail und SMS

Wortfelder: Büro; Computer

Grammatik: Singular – Plural: *ein Handy – drei Handys*; Akkusativ: *Ich habe einen Laptop.*

1 Arbeiten am See

▶ 1 36 **a Sehen Sie das Foto an und hören Sie. Wie finden Sie diesen Arbeitsplatz?**

😊	🙂	😩
sehr schön / sehr praktisch	schön, aber nicht praktisch	nicht praktisch / nicht schön

■ Der Arbeitsplatz ist sehr schön.
▲ Ich weiß nicht. Der Arbeitsplatz ist schön, aber ...

b Möchten Sie so arbeiten?

● Laptop

● E-Mail

● Handy

● SMS

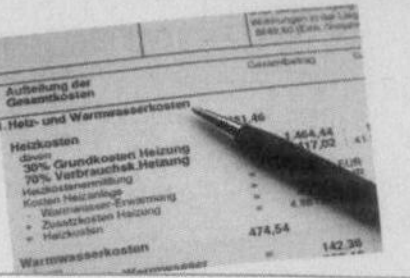

● Briefmarke

● Rechnung

● Telefon

▶1 37 **2** **Lesen Sie die E-Mail, sehen Sie die Fotos an und hören Sie. Ergänzen Sie.**

~~Christian Schmidt~~ | Hierholtzer | Brenner | PR-Media | Leitgeb | Frau Hintze | C. Lehmann

a Der Mann auf den Fotos heißt Christian Schmidt.

b Um 14:00 Uhr ist ein Termin mit ______________.

c Christian Schmidt und C. Lehmann arbeiten bei ______________________.

1

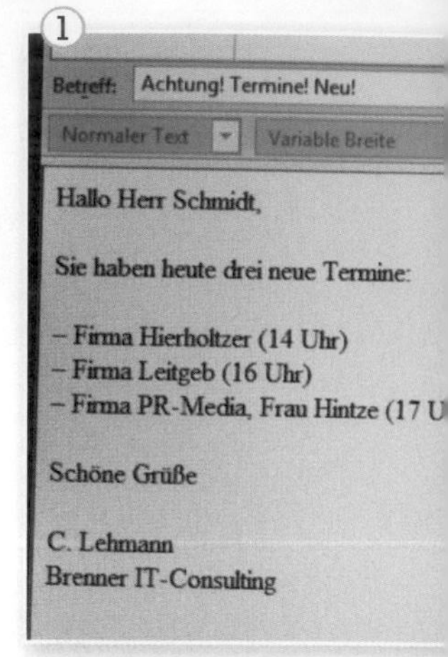

▶1 38 **3** **Sehen Sie die Fotos 2–4 an und hören Sie. Kreuzen Sie an.**

a Frau Feser und Herr Brenner sind ○ im Büro. ○ am See.
b Sie wollen ○ Christian Schmidt ○ Frau Esebeck sprechen.
c Christian Schmidt hat ○ keine Zeit ○ Zeit für Eva.
d Der Arbeitsplatz am See ist ○ praktisch. ○ nicht praktisch.

2

▶1 38 **4** **Wer ist wer? Wer macht was?**
Hören Sie noch einmal und ordnen Sie zu.

noch einmal?

CHRISTIAN SCHMIDT = C, FRAU FESER = F, EVA = E, HERR BRENNER = B

a E ist die Freundin von Christian Schmidt.
b ___ ist eine Kollegin von Christian Schmidt.
c ___ ist der Chef von Christian Schmidt.
d ___ schreibt eine SMS.
e ___ sucht Rechnungen und Formulare.
f ___ braucht Stifte.
g ___ hat am See nur Stress und geht wieder ins Büro.

3

5 **Was sucht Herr Brenner?**
Lesen Sie die SMS und ergänzen Sie die Tabelle.

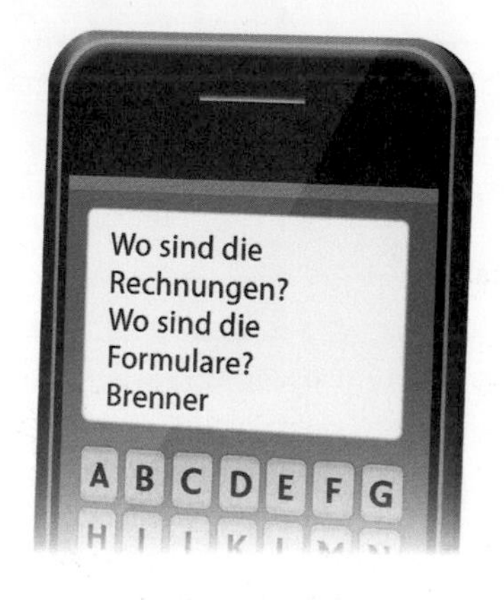

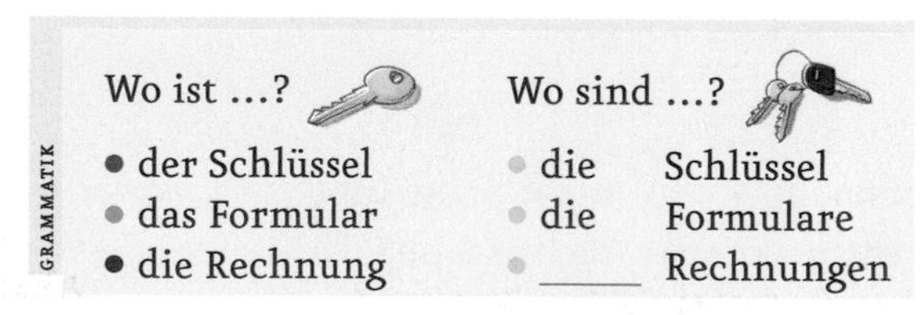

GRAMMATIK

Wo ist ...?	Wo sind ...?
● der Schlüssel	● die Schlüssel
● das Formular	● die Formulare
● die Rechnung	● _____ Rechnungen

4

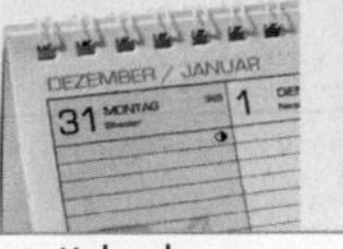

● Formular ● Drucker ● Maus ● Computer ● Stift ● Notizbuch ● Kalender ● Bildschirm

AB **6** **Wie heißt der Plural?**

a **Wählen Sie zwei Wörter aus dem Bildlexikon. Suchen Sie die Pluralform im Wörterbuch.**

Beruf

b **Sammeln Sie „Ihre" Wörter im Plural an der Tafel.**

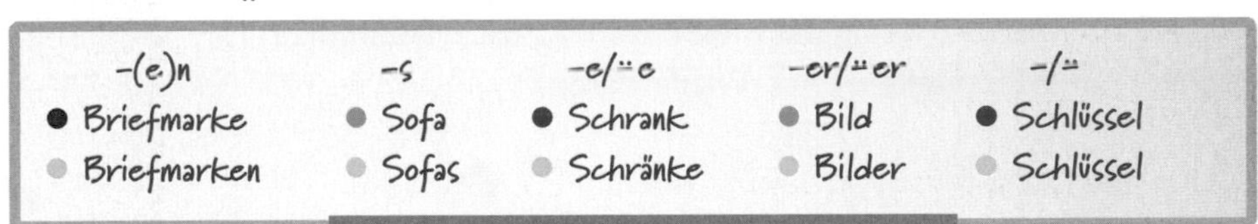

Spiel & Spaß

c *der Stuhl – die Stühle:* **Finden Sie die Unterschiede. Arbeiten Sie zu zweit auf Seite 149.**

AB **7** **Wo ist denn ...?**

▶1 39 **a** **Hören Sie das Gespräch mit Frau Feser noch einmal und ergänzen Sie.**

1 Wo ist denn ______ Schlüssel?
2 Sie haben ______ Schlüssel doch auch.

Nominativ	Akkusativ
Da ist ...	Ich habe ...
● der Schlüssel	● **den** Schlüssel
● das Papier	● das Papier
● die Rechnung	● die Rechnung
Da sind ...	Ich habe ...
● die Stifte	● die Stifte
	auch so bei: brauchen, suchen, ...

GRAMMATIK

Beruf

b **Was suchen Sie? Spielen Sie ähnliche Dialoge.**

der Drucker | das Papier | der Kalender | die Rechnung | ...

■ Wo ist denn der Laptop?
▲ Der Laptop? Frau Esebeck hat doch den Laptop.

AB **8** **Ich habe einen Laptop und zwei Handys.**

a **Wie viele ... haben Sie? Ergänzen Sie die Endungen und füllen Sie dann den Fragebogen aus.**

Ich habe ...

○ kein Handy	○ ein _–_ Handy	☒ _zwei_ Handys
○ keinen Laptop	○ ein _en_ Laptop	○ ______ Laptops
○ keine Maus	○ ein____ Maus	○ ______ Mäuse
○ kein Telefon	○ ein____ Telefon	○ ______ Telefone
○ keinen Drucker	○ ein____ Drucker	○ ______ Drucker
○ keinen Computer	○ ein____ Computer	○ ______ Computer
○ keinen Bildschirm	○ ein____ Bildschirm	○ ______ Bildschirme

b **Wie viele ... hat Ihre Partnerin / Ihr Partner? Sprechen Sie.**

■ Wie viele Drucker hast du?
▲ Ich habe einen Drucker. Und du?
■ Ich habe keinen Drucker. Ich drucke im Büro.

Akkusativ

Ich habe ...

● einen	**keinen**	Laptop
● ein	kein	Telefon
● eine	keine	Maus
● –	keine	Laptops

auch so bei: brauchen, suchen, ...

GRAMMATIK

SPRECHTRAINING

9 Am Telefon

a Ein Anruf bei Christian Schmidt. Ordnen Sie zu.

~~Brenner IT-Consulting. Guten Tag. Hier ist Christian Schmidt.~~ | Tschüs. | Brenner IT-Consulting. | Schmidt. | Christian Schmidt. | Guten Tag, hier ist Marlene Neumann. | ~~Marlene Neumann hier. GutenTag, Herr Schmidt.~~ | Hallo, hier ist Marlene. | ~~Auf Wiedersehen.~~ | Auf Wiederhören.

sich melden (Person A)	sich melden (Person B)	sich verabschieden
Brenner IT-Consulting. Guten Tag. Hier ist Christian Schmidt.	Marlene Neumann hier. GutenTag, Herr Schmidt.	Auf Wiedersehen.

Diktat

b Werfen Sie einer Person den Ball zu. Sie/Er meldet sich (Person A). Dann melden Sie sich (Person B).

A: Energie AG, Vasiri.
B: Guten Tag, hier ist Ines Anton.

A: Lisa Koch.
B: Hallo, Craig hier.

c Wie meldet man sich in anderen Ländern am Telefon? Erzählen Sie.

■ In England sagt man keinen Namen, nur die Telefonnummer oder „Hello".
▲ In ... sagt man den Namen und ...

Audiotraining

Karaoke

GRAMMATIK

Artikel im Singular und Plural

Singular	Plural
• der/ein/kein Schlüssel	die/–/keine Schlüssel
• das/ein/kein Formular	die/–/keine Formulare
• die/eine/keine Briefmarke	die/–/keine Briefmarken

Nomen: Singular und Plural

	Singular	Plural
-e/¨e	der Stift der Schrank	die Stifte die Schränke
-(e)n	die Briefmarke die Rechnung	die Briefmarken die Rechnungen
-s	das Sofa	die Sofas
-er/¨er	das Bild das Notizbuch	die Bilder die Notizbücher
-/¨	der Kalender	die Kalender

KOMMUNIKATION

Telefongespräche

Brenner IT-Consulting. Guten Tag. Hier ist ...
Christian Schmidt. / Schmidt.
Guten Tag. / Hallo. Hier ist ...
... hier.

Tschüs. / Auf Wiederhören. / Auf Wiedersehen.

Akkusativ nach haben, brauchen, suchen, ...

	definiter Artikel	indefiniter Artikel	Negativ-artikel	
• maskulin	Sie hat **den**	ein**en**	kein**en**	Schlüssel.
• neutral	das	ein	kein	Formular.
• feminin	die	eine	keine	Briefmarke.
• Plural	die	–	keine	Stifte.

UND DAS IST ... heute: ... MEINE UHR

A Mein Name ist Sylvia di Leonardo, ich bin 25 und arbeite als Sekretärin. Meine Uhr? Ich habe viele Uhren, sieben oder acht Stück. Die hier ist modern. Sie ist groß, aber nicht zu groß. Und auch die Farbe ist doch sehr hübsch, oder?

B Hallo, ich heiße Claudio Danzer. Ich bin 31 und arbeite als Autor. Ich wohne hier in Meilling. Was? Meine Uhr? Nein, nein, ich habe keine Uhr. Oder doch. Da, sehen Sie? Das ist meine Uhr! Ist sie nicht sehr groß und praktisch?

C Ich bin Kim. Meine Eltern kommen aus Südkorea, aber wir leben hier in Deutschland. Ich bin 20 und mache eine Ausbildung. Das ist meine Uhr. Sie ist nur schwarz und weiß. Das finde ich super. Ist sie nicht richtig cool?

D Hallo, ich heiße Theresa. Ich bin 22 und studiere Psychologie. Meine Uhr ist schon sehr alt. Aber sie ist schön, finde ich. Na ja, okay, es ist eine Männeruhr. Aber ich finde sie toll. Sie ist so einfach und so praktisch!

1 Sehen Sie die Fotos an und lesen Sie die Texte. Ordnen Sie zu.

Foto	1	2	3	4
Text	___	___	___	___

2 Was wissen Sie über die Personen? Ergänzen Sie Alter und Beruf.

a Sylvia di Leonardo *ist 25 Jahre alt und arbeitet als Sekretärin.*
b Kim ______________________________
c Theresa ______________________________
d Claudio Danzer ______________________________

▶ Clip 4

1 Beim Trödler – Was ist richtig? Sehen Sie den Film und kreuzen Sie an.

a Das Bild ist ○ 35 x 43 ○ 53 x 45 ○ 53 x 43 cm groß.

b Das Bild kostet ○ 20 Euro. ○ 15 Euro. ○ 10 Euro.

c Anne findet das Bild ○ okay. ○ zu klein. ○ zu teuer.

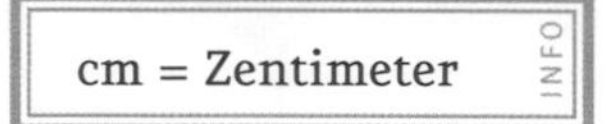

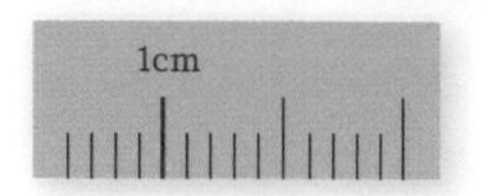

▶ Clip 5

2 König-Ludwig-Souvenirs: Das ist kein König.
Das ist ein/eine … – Was ist das? Markieren Sie die Souvenirs.

• Bleistift • Bierglas • Teller • Ring

• Tasse • Kette • Regenschirm (circled) • T-Shirt

• Tasche • Feuerzeug • Buch • Schlüsselanhänger

• Handtuch • Kugelschreiber • Postkarte

• König • Uhr • Puppe

▶ Clip 6

3 Mein Drucker braucht Papier. – Sehen Sie den Musikclip und ergänzen Sie die Verben in der passenden Form.

brauchen | haben | sein | suchen

■ *Haben* Sie ein Problem?
▲ Der Drucker __________ kein Papier.
■ Ich __________ eine Rechnung.
▲ Und mein Drucker __________ Papier.
■ __________ Sie ein Problem?
▲ Ich __________ das Papier.
■ Ich __________ eine Rechnung.
▲ Aber ich __________ kein Papier.
Ah, hier __________ das Papier.
■ ▲ Oh! Das __________ schön.
Wir __________ kein Problem.

1 Lesen Sie den Veranstaltungshinweis und korrigieren Sie die Sätze.

Der Nachtflohmarkt Leipzig

Deutschlands schönster Trödelmarkt bei Nacht
In Leipzig ist der Nachtflohmarkt schon Tradition und ist die Nummer eins in Sachsen. Sie stöbern und handeln gern? Dann sind Sie hier richtig. Von 16.00 Uhr bis 24.00 Uhr kommen 200 Händler und zwischen 2000 und 3000 Besucher zu dem Trödel-Event. Hier finden Sie alles aus Omas Zeiten: Bücher, Taschen, Uhren, Möbel, Kleidung und vieles mehr.

Informationen für Verkäufer: KEINE NEUWARE! Der Aufbau ist ab 13 Uhr.
Standpreise: 7, – Euro pro Meter (Tische bitte selbst mitbringen!)

Wo? An den Tierkliniken 42, 04103 Leipzig, Leipzig Zentrum-Südost

Wann? Sa. 21.05.
Geöffnet für Besucher: 16 bis 24 Uhr
Eintritt: 2,– Euro, Kinder bis 12 Jahre frei

a Der Nachtflohmarkt ist in ~~Dresden~~. Leipzig
b Die Waren auf dem Flohmarkt sind neu. ___________
c Der Eintritt kostet 7, – Euro. ___________

2 Klassenflohmarkt

a Wählen Sie einen Gegenstand und schreiben Sie eine Produktbeschreibung wie im Beispiel. Bringen Sie den Gegenstand und die Beschreibung mit in den Kurs.

SUPER KUGELSCHREIBER!
Sehr praktisch und leicht.
Er schreibt blau und macht keine Fehler.
Er kostet nur 5 Euro!

b Machen Sie einen Flohmarkt im Kurs.

■ Hier habe ich einen Kugelschreiber. Er ist sehr praktisch und leicht und er kostet nur 5 Euro.
▲ Das ist zu teuer.
■ Das ist nicht teuer. Das ist ein Sonderangebot. Der Kugelschreiber macht keine Fehler.
▲ Dann sage ich 3 Euro.
■ Sagen wir 4 Euro?
▲ Na gut, okay!

1 Was fehlt den Personen? Sehen Sie die Zeichnungen an und ergänzen Sie.

Hubertus Grille braucht eine Brille

Hubertus Grille
braucht eine Brille.

Marina Hartner
sucht ______________
______________.

♥♥♥ ♀ sucht ♂ ♥♥♥

Benjamin Rüssel
hat ______________
______________.

Janina Rift
hat ______________
______________.

Alina Hampe
braucht ______________
______________.

Liane Rühle
hat ______________
______________.

Johannes Frisch
hat ______________
______________.

Elena Blücher
kauft ______________
______________.

Hans-Peter Reife
hat ______________
______________.

Mario Klinge
hat ______________
______________.

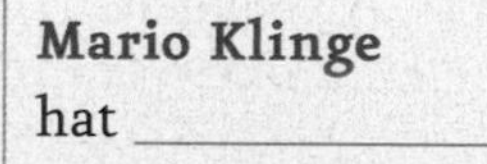

Florian Masche
braucht ______________
______________.

Larissa Nuhr
hat ______________
______________.

Wir suchen hier. Wir suchen da.
Wir finden alles. Das ist ja klar.
Wir lernen sehr schnell. Es ist ja nicht schwer.
Wir brauchen keine Hilfe. Nein, nein, nein – danke sehr!

▶1 40 **2 Hören Sie das Lied und vergleichen Sie.**

▶1 40 **3 Hören Sie das Lied noch einmal und singen Sie mit.**

Hören: Aussagen zu Freizeitaktivitäten

Sprechen: Komplimente machen: *Du kannst super tanzen!*; über Hobbys/Fähigkeiten sprechen: *Mein Hobby ist tanzen.*, *Ich kann gut singen.*; um etwas bitten: *Kann ich telefonieren?*; sich bedanken: *Oh, danke!*

Wortfeld: Freizeitaktivitaten

Grammatik: Modalverb *können*; Satzklammer: *Du kannst super Gitarre spielen.*

1 Sehen Sie das Foto an. Was für ein Kompliment macht der Mann wohl der Frau?

Ich glaube, er sagt: Du ...

▶ 2 01

2 Was passt? Hören Sie und kreuzen Sie an.

noch einmal?

	Gespräch 1	2	3
a Du kannst wirklich toll kochen.	○	○	○
b Du kannst ja super tanzen.	○	○	○
c Deine Augen sind sehr schön.	○	○	○

3 Welches Gespräch passt am besten zum Foto? Machen Sie eine Kursstatistik.

Gespräch	Frauen	Gespräch	Männer
1	II	1	
2		2	
3	I	3	II

AB **4** **Du kannst ja super tanzen!**

a Lesen Sie die Komplimente und ordnen Sie zu.

① Sie können aber toll Ski fahren.
○ Du kannst wirklich sehr gut Gitarre spielen.
○ Wow! – Du kannst ja super tanzen.
○ Du kannst wirklich gut Tennis spielen.

b Was machen die anderen Personen?
Suchen Sie die Wörter im Bildlexikon und schreiben Sie.

7 backen

AB **5** **Schreiben Sie die Sätze in die Tabelle.**
Verwenden Sie die passende Form von *können*.

a können – wirklich super – du – Gitarre – spielen
b ihr – können – gut – tanzen?
c Ski fahren – Sie – aber toll – können
d können – Tennis – spielen – ja super – er
e Schach – Sie – können – spielen?

Du	kannst	wirklich super Gitarre	spielen.
	Könnt	ihr gut …	?

GRAMMATIK

	können
ich	kann
du	kannst
er/sie	kann
wir	können
ihr	könnt
sie/Sie	können

GRAMMATIK

Du	kannst	wirklich sehr gut Gitarre	spielen.
	Kannst	du das noch einmal	sagen?

AB **6** **Ich kann ein bisschen Schach spielen.**

a Ordnen Sie die Wörter.

ein bisschen | gar nicht | ~~toll / sehr gut / super~~ | nicht | gut | nicht so gut

 toll / sehr gut / super, 

b Wer kann was? Arbeiten Sie auf Seite 149. Ihre Partnerin / Ihr Partner arbeitet auf Seite 152.

c Was können Sie gut / gar nicht? Sprechen Sie.

kochen | singen | malen | Schach spielen | Ski fahren | Fußball spielen | backen | Gitarre spielen | …

■ Ich kann ein bisschen Schach spielen. Und du?
▲ Ich kann gar nicht Schach spielen. Aber ich kann gut malen.

Fußball spielen

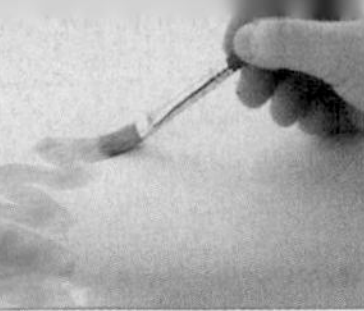
malen

backen

Musik hören

spazieren gehen

Schach spielen

Rad fahren

7 Komplimente machen

Diktat

Arbeiten Sie zu viert. Spielen Sie ein Hobby vor.
Die anderen machen Komplimente. Bedanken Sie sich dann.

- ■ Du kannst ja toll singen!
- ● Du kannst wirklich toll singen!
- ▲ Vielen Dank! / Oh, danke! / Danke sehr! / Herzlichen Dank.

KOMMUNIKATION

Du kannst	ja aber wirklich	toll/super singen!

▶ 2 02-04 AB

8 Mein Hobby ist ...

Film

a Hören Sie. Welches Foto passt?

b Hören Sie noch einmal und ordnen Sie zu.

① Das macht Spaß! ○ Oft gehe ich spazieren. ○ Ich höre gern Musik.
○ Ich liebe die Natur. ○ Ich liebe Musik. ○ Ich mache sehr gern Ausflüge.
○ Mein Hobby ist Fußball. ○ Mein Lieblingskomponist ist Johann Sebastian Bach.

Spiel & Spaß

c Was machen Sie gern in der Freizeit? Sprechen Sie.

KOMMUNIKATION

Was sind deine Hobbys?	Meine Hobbys sind ... und ... Mein Hobby ist ...
Was machst du in der Freizeit?	Ich ... gern. Das macht Spaß. Ich liebe ...
Fährst du gern Ski/Rad/...?	Nein, ich kann nicht Ski/Rad/... fahren. Nein, ich fahre nicht gern Ski/Rad/...
Liest du gern ... / Triffst du gern ...?	Ich lese gern und treffe Freunde.
Wie oft gehst du ins Kino/Theater/...?	Ich gehe oft/manchmal/nie ins Kino/Theater/... Mein Lieblingsfilm/Lieblings-... ist ...

INFO

	fahren	**lesen**	**treffen**
ich	fahre	lese	treffe
du	fährst	liest	triffst
er/sie	fährt	liest	trifft

INFO

0% — 100%
nie, fast nie, manchmal, oft, immer

interessant?

9 Gespräche üben: Wer macht was wie oft? Arbeiten Sie auf Seite 147.

SPRECHTRAINING

AB **10** **Um etwas bitten**

a Arbeiten Sie zu zweit. Würfeln Sie eine Antwort. Fragen und antworten Sie dann

1 ■ Kann ich mal telefonieren?

2 ■ Kann ich hier rauchen?

3 ■ Kann ich das Auto haben?

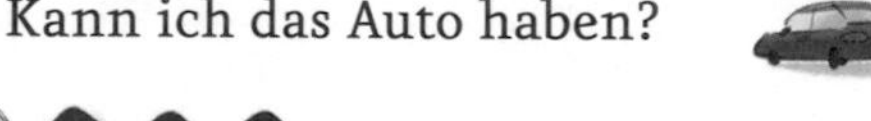

▲ Ja, klar. / Ja, natürlich. / Ja, gern.

▲ Nicht so gern.

▲ Nein, das geht leider nicht. / Nein, tut mir leid.

b Worum können Sie noch bitten?
Schreiben Sie vier Fragen auf Karten.

Kann ich das Feuerzeug haben?

Legen Sie die Karten auf einen Stapel.

c Spielen Sie zu viert. Ziehen Sie Karten. Fragen und antworten Sie dann.

Audiotraining | Karaoke

GRAMMATIK

Modalverb können: Konjugation	
	können
ich	kann
du	kannst
er/sie	kann
wir	können
ihr	könnt
sie/Sie	können

Modalverben: Satzklammer				
Aussage	Du	kannst	wirklich super Gitarre	spielen.
Frage/ Bitte		Kannst	du das noch einmal	sagen?

KOMMUNIKATION

Komplimente machen und sich bedanken
Sie können ja/wirklich/aber/toll/super/sehr gut tanzen …
Vielen Dank! / Oh, danke! / Danke sehr! / Herzlichen Dank.

Fähigkeiten
Ich kann (gar) nicht / nicht so gut / ein bisschen / (sehr) gut singen/…

über Hobbys sprechen	
Was sind deine Hobbys?	Meine Hobbys sind … und … Mein Hobby ist …
Was machst du in der Freizeit?	Ich … gern. Das macht Spaß. Ich liebe …
Fährst du gern Ski/Rad/…?	Nein, ich kann nicht Ski/Rad/… fahren. Nein, ich fahre nicht gern Ski/Rad/… Ich lese gern und treffe Freunde.
Wie oft gehst du ins Kino …?	Ich gehe oft/manchmal/nie ins Kino. Mein Lieblingsfilm/Lieblings-… ist …

um etwas bitten
Kann ich mal telefonieren / hier rauchen?

Kein Problem. Ich habe Zeit! 8

Sprechen: sich verabreden: *Hast du am Nachmittag Zeit?*; einen Vorschlag machen und darauf reagieren: *Gehen wir ins Kino?*

Lesen: SMS, Chat

Schreiben: Einladung/Absage

Wortfelder: Tageszeiten, Wochentage, Uhrzeiten, Freizeitaktivitäten

Grammatik: Verbposition im Satz: *Heute Abend habe ich keine Zeit.*; temporale Präpositionen *am, um*

1 Sehen Sie das Foto an. Was schreibt Karina? Was meinen Sie?

2 Manuel oder Jonas?

▶ 2 05 **a Was sagt Manuel? Was sagt Jonas? Hören Sie und ordnen Sie zu.**

Manuel

Gehen wir ins Schwimmbad?

Gehen wir ins Kino?

Heute Nachmittag um vier.

Jonas

b Karina hat ein Problem. Was macht sie jetzt wohl?

■ Ich glaube, sie geht mit Manuel ins Schwimmbad.
▲ Nein, das glaube ich nicht. Ich glaube, ...

3 Was ist richtig? Lesen Sie die SMS und kreuzen Sie an.

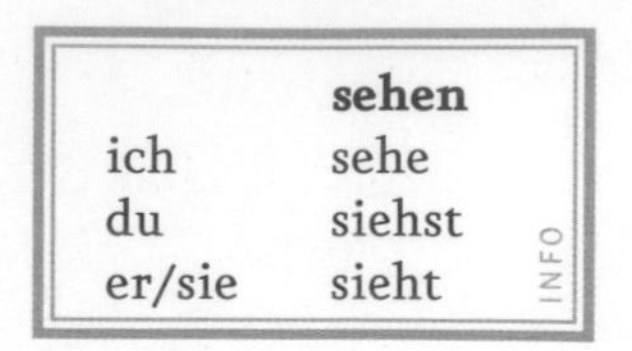

	sehen
ich	sehe
du	siehst
er/sie	sieht

INFO

a Karina
- ○ geht heute Nachmittag mit Manuel ins Schwimmbad.
- ○ geht heute Nachmittag nicht mit Manuel ins Schwimmbad.

b LG =
- ○ Liebe und Grüße
- ○ Liebe Grüße

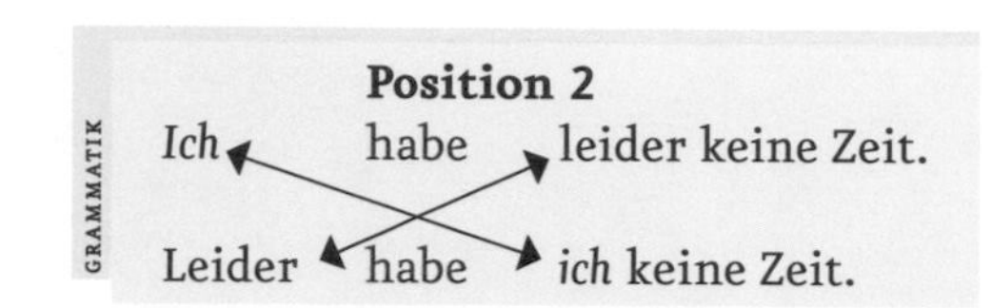

GRAMMATIK

	Position 2	
Ich	habe	leider keine Zeit.
Leider	habe	*ich* keine Zeit.

AB **4** **Was macht Ihre Partnerin / Ihr Partner heute Nachmittag?**

a Schreiben Sie Karten. Verwenden Sie die Wörter aus dem Bildlexikon der Lektionen 7 und 8.

Museum

malen

b Ziehen Sie eine Karte  und antworten Sie.

KOMMUNIKATION

Hast du heute Nachmittag Zeit?	Nein, leider nicht. / Nein, ich habe leider keine Zeit. / Nein, leider habe ich keine Zeit.
Warum nicht?	Heute Nachmittag gehe ich ins Museum. / Ich gehe heute Nachmittag ins Museum. / Heute Nachmittag male ich.

ins ● Konzert ...
in ● eine Ausstellung ...

INFO

AB **5** **Wie spät ist es?**

▶ 2 06 **a** Hören Sie und ergänzen Sie *vor* oder *nach*.

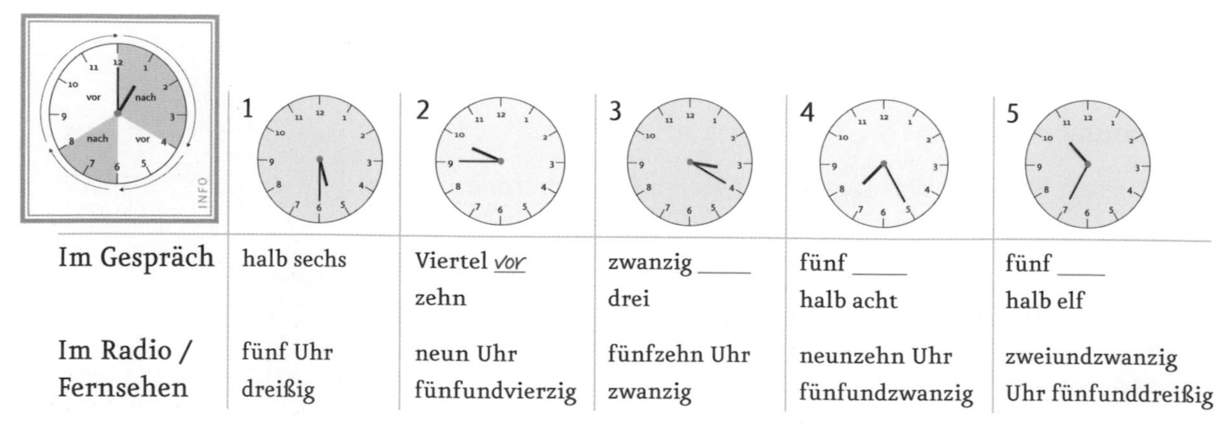

	1	2	3	4	5
Im Gespräch	halb sechs	Viertel *vor* zehn	zwanzig _____ drei	fünf _____ halb acht	fünf _____ halb elf
Im Radio / Fernsehen	fünf Uhr dreißig	neun Uhr fünfundvierzig	fünfzehn Uhr zwanzig	neunzehn Uhr fünfundzwanzig	zweiundzwanzig Uhr fünfunddreißig

b Uhrzeiten üben: Arbeiten Sie zu zweit auf Seite 146.

● Schwimmbad ● Konzert ● Kneipe ● Restaurant ● Bar

6 Was macht Manuel heute Nachmittag?

a Lesen Sie den Chat und ergänzen Sie.

im Chat: ManuXL tami_92:

ManuXL: Was machst du heute Nachmittag?
tami_92: Weiß ich noch nicht.
ManuXL: Lust auf Schwimmbad?
tami_92: Nöö. Keine Lust.
ManuXL: Gehen wir ins Kino?
tami_92: Gute Idee! Wann denn?
ManuXL: Um zwei, um vier oder um sechs?
tami_92: Sechs Uhr ist zu spät. Heute Abend habe ich keine Zeit. Gehen wir um vier?
ManuXL: Okay. Dann bis vier!
tami_92: Ja, bis dann!

GRAMMATIK
Wann?
um drei Uhr / halb vier / ...

	wissen
ich	weiß
du	weißt
er/sie	weiß

INFO

1 Manuel und Tamara gehen ins ________________.

2 Manuel trifft Tamara heute um ________________.

Spiel & Spaß

b Etwas vorschlagen und darauf reagieren. Was passt? Ordnen Sie zu.

Gehen wir ins Kino? | ~~Vielleicht.~~ | Gute Idee! | ~~Vielleicht können wir morgen Abend ins Theater gehen.~~ | Tut mir leid, ich habe keine Lust. | ~~Ich kann leider nicht. Ich gehe ...~~ | Das weiß ich noch nicht. | Okay. | ~~Ja, klar.~~ | Heute Abend habe ich leider keine Zeit. | Lust auf ...?

etwas vorschlagen:
Vielleicht können wir morgen Abend ins Theater gehen.

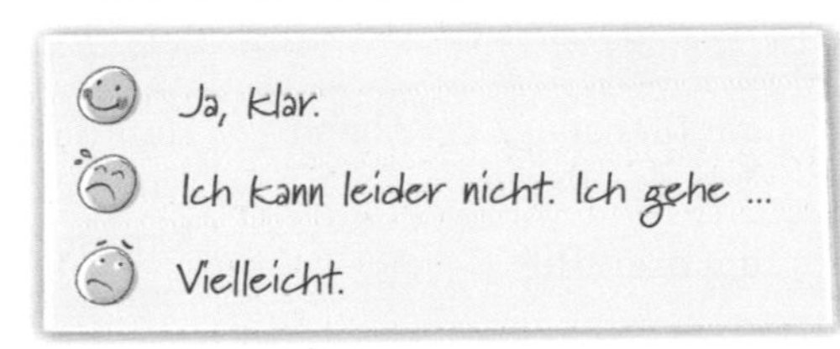

c Verabreden Sie sich im Chat. Arbeiten Sie zu zweit auf Seite 153.

AB

7 Am Montagabend spiele ich Fußball.

a Ergänzen Sie die Wochentage.

~~Mittwoch~~ | ~~Montag~~ | Sonntag | Samstag | Dienstag | Donnerstag | Freitag

Woche 18	*Montag*	________	*Mittwoch*	________	________	________	________

interessant?

b Tageszeiten. Ordnen Sie zu.

A 
B 
C 
D 
E 
F 

GRAMMATIK
Wann?
am Dienstag/Abend/...
! in der Nacht

__ der Vormittag __ der Abend __ der Nachmittag
__ die Nacht __ der Mittag *A* der Morgen

Mein Lieblingstag ist der Mittwoch. Besonders der Abend. Am Mittwochabend tanze ich Salsa.

Film

c Gespräche üben: sich verabreden.
Arbeiten Sie zu zweit auf den Seiten 155 und 159.

d Welcher Tag ist Ihr Lieblingstag? Was ist Ihre Lieblingstageszeit? Was machen Sie da?

8 SCHREIBTRAINING

8 Absagen

a Lesen Sie die E-Mail und kreuzen Sie an.

Die E-Mail ist ○ höflich ○ unhöflich.

Betreff: Heute

Timo!
Komme doch nicht.
Keine Zeit!
Sina

b Sortieren Sie die Wendungen. Schreiben Sie dann die E-Mail neu.

○ Liebe Grüße | ○ leider kann ich doch nicht kommen. | ○ Vielleicht können wir morgen Abend ins Theater gehen? | ① Lieber Timo, | ○ Ich habe keine Zeit.

Diktat

c Laden Sie Ihre Partnerin / Ihren Partner ein. Sie/Er sagt schriftlich zu oder ab.

KOMMUNIKATION

Liebe/r ...
Hast du am ... Zeit? / Kannst du am ...?
Markus und Svenja kommen um ... zum Essen / zum Kaffee.
Kommst du auch? / Hast du auch Zeit?
Liebe/Herzliche Grüße

Audiotraining

Karaoke

GRAMMATIK

temporale Präpositionen am, um		
am	+ Wochentage/ Tageszeiten	am Dienstag / am Abend ! in der Nacht
um	+ Uhrzeiten	um drei Uhr

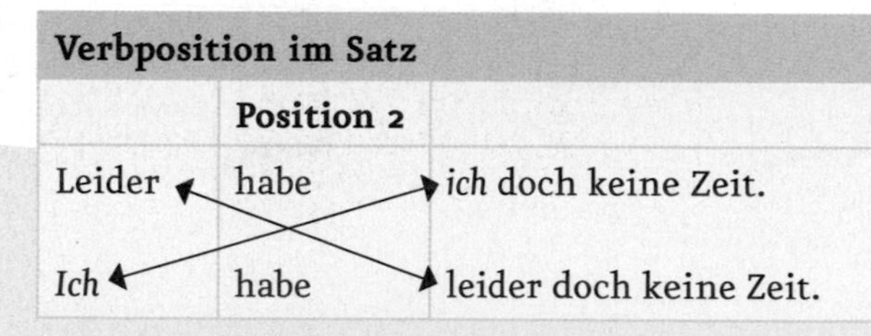

Verbposition im Satz		
	Position 2	
Leider	habe	*ich* doch keine Zeit.
Ich	habe	leider doch keine Zeit.

KOMMUNIKATION

sich verabreden	
Hast du heute Abend / am ... Zeit? Kannst du heute Abend / am ...?	Ja, klar. Das weiß ich noch nicht. Vielleicht. Heute Abend / Am ... habe ich leider keine Zeit.

einen Vorschlag machen und darauf reagieren	
Gehen wir ins Kino / ...? Vielleicht können wir morgen Abend in(s) ... gehen? Lust auf Schwimmbad?	Gute Idee! / Okay! Nein, leider nicht. Ich habe keine Zeit. Tut mir leid, ich habe keine Lust. Ich kann leider nicht. Ich gehe ...

Verabredungen absagen
Ich kann leider doch nicht kommen.

einen Zeitpunkt angeben	
Wann denn?	Am Dienstag / Abend / Mittwochabend / ... um ... Uhr. Um drei / halb vier.

Uhrzeit	
Wie spät ist es? / Wie viel Uhr ist es?	Es ist Viertel vor drei / halb sechs.

Ich möchte was essen, Onkel Harry. 9

Hören: Gespräch über Vorlieben beim Essen

Sprechen: über Essgewohnheiten sprechen: *Ich esse gern Müsli zum Frühstück.*; beim Essen: *Möchten Sie Kaffee oder Tee?*

Lesen: Comic

Wortfeld: Lebensmittel und Speisen

Grammatik: Konjugation *mögen*, „*möchte*"; Wortbildung Nomen + Nomen: *der Tomatensalat*

1 Sehen Sie das Foto an.
Was haben Sie im Kühlschrank? Hilfe finden Sie im Bildlexikon oder im Wörterbuch.

(fast) immer	oft	manchmal	(fast) nie
Milch			

Ich habe immer Milch im Kühlschrank.

▶ 2 07 **2 Was ist richtig?**
Hören Sie und kreuzen Sie an.

a	Tim hat	☒ Hunger.	○ Durst.	
b	Tim mag	○ keinen Schinken.	○ keinen Käse.	○ keine Schokolade.
c	Onkel Harry hat	○ keinen Schinken.	○ keinen Käse.	○ keine Schokolade.
d	Tim isst	○ ein Schinkenbrot.	○ ein Käsebrot.	○ ein Stück Kuchen.

• Kartoffel • Schokolade • Kuchen • Suppe • Apfel • Tee • Braten • Brot

AB **3** **Was essen Sie gern zum Frühstück?**
Interviewen Sie Ihre Partnerin / Ihren Partner und notieren Sie.

Spiel & Spaß

	Ich **Was? Wann?**	**Meine Partnerin / Mein Partner** **Was? Wann?**
in der Woche (Montag – Freitag)		
am Wochenende (Samstag + Sonntag)		

- ■ Was isst du gern zum Frühstück?
- ▲ Käsebrötchen. Und du?
- ■ Ich mag keinen Käse, aber Müsli esse ich sehr gern. Und wann frühstückst du?
- ▲ In der Woche frühstücke ich schon um sechs. Aber am Sonntag frühstücke ich oft erst um elf Uhr.

GRAMMATIK

	mögen
ich	mag
du	magst
er/sie	mag

INFO

	essen
ich	esse
du	isst
er/sie	isst

AB **4** **Eine Einladung**

a **Lesen Sie den Comic. Beantworten Sie die Fragen. Was meinen Sie?**

1 Kennt Fridolin Wurstsuppe?
2 Wie schmeckt die Suppe?
3 Trinkt Fridolin einen Kaffee?

GRAMMATIK

	„möchte"
ich	möchte
du	möchtest
er/sie	möchte

Diktat

b **Lesen Sie den Comic noch einmal und ergänzen Sie die passenden Antworten.**

KOMMUNIKATION

Bitte sehr!	*Oh, vielen Dank.*
Guten Appetit!	______________
Möchten Sie noch etwas Wurstsuppe?	☹ ______________
Möchten Sie einen Kaffee?	☺ ______________

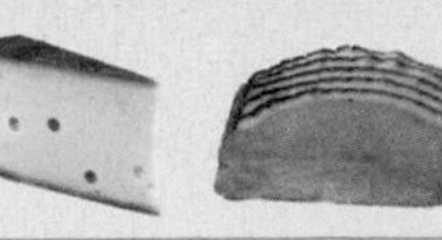

● Orange ● Milch ● Butter ● Fisch ● Tomate ● Salat ● Käse ● Schinken

Spiel & Spaß

AB **5 Gespräche üben: Möchten Sie noch etwas ...? Arbeiten Sie zu zweit auf Seite 156.**

AB **6 Kartoffeleis und Orangenbraten**

a Suchen Sie die Artikel im Bildlexikon und ergänzen Sie.

GRAMMATIK

	Nomen 1	+	Nomen 2
das Schinkenbrot	*der* Schinken	+	____ Brot
der Schokoladenkuchen	____ Schokolade	+	____ Kuchen
die Fischsuppe	____ Fisch	+	____ Suppe

b Würfeln Sie und stellen Sie Ihre Speisekarte zusammen.

Käse-	-pizza
Fisch-	-salat
Zitronen-	-suppe
Zwiebel-	-eis
Eier-	-kuchen
Obst-	-reis

■ Was essen wir als Vorspeise?
▲ Fischeis.

Vorspeise
________ oder
____

Hauptgericht
________ oder
____

Dessert
________ oder
____

Beruf

c Laden Sie zwei Kursteilnehmer/-innen zum Essen ein.

■ Ich koche heute Abend etwas.
▲ Was kochst du denn?
■ Als Vorspeise essen wir / mache ich Zwiebeleis. / Als Hauptgericht ... Kommst du?
▲ Oh, das tut mir leid. Ich habe leider doch keine Zeit. / Ja, ich komme gern.

9 MINI-PROJEKT

AB **7** **Typische Gerichte aus den deutschsprachigen Ländern**

interessant?

a **Lesen Sie die Speisekarte und wählen Sie Ihre Favoriten.**

Speisekarte

Vorspeise

Leberknödelsuppe

Hamburger Aalsuppe

Hauptspeise

Zürcher Geschnetzeltes mit Rösti

Wiener Schnitzel (aus Kalbfleisch) mit Kartoffelsalat

Dessert

Apfelstrudel mit Vanilleeis

Rote Grütze mit Sahne

b **Was sind die Favoriten in Ihrem Kurs? Machen Sie eine Statistik.**

Audiotraining

Karaoke

GRAMMATIK

Verb: Konjugation		
	mögen	**„möchte“**
ich	mag	möchte
du	magst	möchtest
er/es/sie	mag	möchte
wir	mögen	möchten
ihr	mögt	möchtet
sie/Sie	mögen	möchten

„möchte“ im Satz			
Ich	möchte	etwas	essen.

Wortbildung: Nomen + Nomen			
der Schokoladenkuchen	die Schokolade	+	der Kuchen
die Fischsuppe	der Fisch	+	die Suppe

KOMMUNIKATION

über Essen/Essgewohnheiten sprechen	
Was isst du gern zum Frühstück?	Ich esse gern Käsebrötchen/... zum Frühstück. Und du? Ich mag keinen Käse/..., aber Müsli/... esse ich gern.
Wann frühstückst du?	In der Woche frühstücke ich schon um sechs Uhr. Am Wochenende/Sonntag frühstücke ich oft erst um elf Uhr.
Was essen wir als Vorspeise/Hauptgericht/Dessert?	Als Vorspeise essen wir Suppe.

beim Essen	
Möchten Sie einen Kaffee/...?	Oh ja! Bitte. / Ja. gern
Möchten Sie noch etwas Suppe/...?	Nein, danke!
Guten Appetit!	Danke, ebenfalls/gleichfalls. ... schmeckt sehr gut.

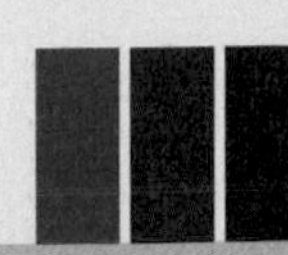

BINGOBABY

STARTSEITE | PROFIL | MEIN KONTO

Anja Ebner
L Meine Seite bearbeiten

WILLKOMMEN
NEUES
VERANSTALTUNGEN
FOTOS
FREUNDE
L 22 Freunde sind online

VERANSTALTUNGEN

Heute

Samstag, 29. Mai, 14:30 Uhr

Möchtest Du grillen, schwimmen und Beachvolleyball spielen? Marlene, Gisi, Vera und ich machen heute einen Frauen-Ausflug. Wir fahren mit dem Rad zum ‚Seebad'. Hast Du Zeit? Ja? Na dann: Warum kommst Du nicht auch? Na los!

Ich komme

Morgen

Sonntag, 30. Mai, Start: 10 Uhr, Ende: ???

Was machst Du am Sonntag um 10 Uhr? Schlafen? Lesen? Im Internet surfen? Oder schön frühstücken? Wir machen nämlich wieder ein „Musikfrühstück" bei uns im Garten. Andi (Gitarre), Verena (Flöte) und ich (Cello) machen Musik (Klassik & Jazz). Es gibt Brötchen, Marmelade, Honig, Wurst, Käse, Obst, Kaffee, Tee, Milch und Orangensaft. Wer möchte ein Ei? Bitte melden!

Ich komme

Juni

Donnerstag, 3. Juni, 20 Uhr

Einmal im Jahr kommt im ‚Tivoli' mein absoluter Lieblingsfilm: „Haben und Nichthaben" mit Humphrey Bogart und Lauren Bacall. Magst Du ihn auch so gern? Dann sehen wir uns heute Abend um 20 Uhr im ‚Tivoli', okay? Ich freue mich schon!

Ich komme

1 Welche Überschrift passt zu den Veranstaltungen? Lesen und ergänzen Sie.

Frühstück mit Musik | Nur für Frauen! | Endlich wieder Kino!

2 Ausflug, Musikfrühstück oder Film? Was möchten Sie mit Anja machen? Warum?

Ich fahre gern Rad. Ich möchte mit Anja einen Ausflug machen.

3 Und Sie? Was machen Sie am Wochenende? Schreiben Sie Ihren Blog.

▶ Clip 7

1 Mein Hobby ist Inlineskaten.

Sehen Sie die Reportage und korrigieren Sie.

a Lilian ist 37 Jahre alt. ____________
b Sie wohnt in Wien. ____________
c Sie ist Friseurin von Beruf. ____________
d In der Freizeit skatet Lilian nicht gern. ____________
e Lilian skatet schon vier Jahre. ____________
f Lilian übt sehr oft. ____________
g Oliver macht das Skaten ~~keinen~~ Spaß. *auch*

▶ Clip 8

2 Was macht ihr heute Abend? – Was passt?

Sehen Sie die Kurzinterviews und verbinden Sie.

	vielleicht in eine Disco gehen
a Das Paar: ————	Freunde besuchen
b Der Mann:	essen
c Die Frau:	Musik hören
	zu einem Fußballspiel gehen
	vielleicht ins Kino gehen

▶ Clip 9

3 Mein Lieblingsrestaurant: der Gasthof Birner in Wien – Was essen Tina und Lukas? Sehen Sie die Reportage und kreuzen Sie an.

Getränke

○ Bier
○ Wasser
○ Apfelsaft
○ Kaffee

Speisen

○ Currywurst mit Pommes frites
○ Wiener Schnitzel mit Pommes frites
○ Wiener Schnitzel mit Erdäpfelsalat
○ Gulasch mit Knödel
○ Matjes in Sahnesoße mit Pellkartoffeln
○ Grünkohl mit Kassler und süßen Kartoffeln
○ Zürcher Geschnetzeltes mit Rösti
○ Schweinebraten mit Rotkohl und Knödel

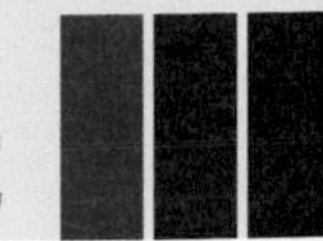

1 Was ist richtig? Lesen Sie das Rezept und kreuzen Sie an.

Labskaus eine norddeutsche Spezialität

Labskaus kommt aus Norddeutschland und ist ein traditionelles Seefahreressen. Früher war Labskaus ein Resteessen. Resteessen bedeutet: Man kauft nicht extra ein. Man sieht nach: Was hat man zu Hause? Daraus kocht man dann etwas. Doch heute macht man Labskaus nicht mehr aus Resten. Man verwendet frische Zutaten.

Sie möchten Labskaus selbst machen? Das ist ganz leicht:
Stampfen Sie Corned Beef und Kartoffeln und würzen Sie mit Salz und Pfeffer. Sie können auch Zwiebeln dazugeben.
Dazu essen Sie Spiegelei und Gewürzgurke.

Sie brauchen:
500 g Kartoffeln
350 g Corned Beef
3 Zwiebeln
Salz, Pfeffer
Spiegelei 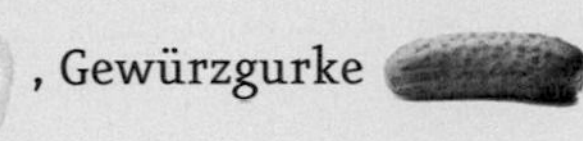, Gewürzgurke

a Labskaus kommt aus ○ . ○ .

b Das Gericht macht man heute ○ aus Resten. ○ aus frischen Zutaten.

c Für Labskaus brauchen Sie ○ keine Kartoffeln. ○ viele Kartoffeln.

2 Typische Gerichte aus den deutschsprachigen Ländern

a Wählen Sie ein typisches Gericht aus Deutschland, Österreich oder der Schweiz. Suchen Sie Fotos und Informationen im Internet und machen Sie Notizen zu den Fragen. Schreiben Sie dann ein Rezept wie in 1.

1 Wie heißt das Gericht?
2 Woher kommt es?
3 Sie möchten das Gericht kochen. Was brauchen Sie?

b Präsentieren Sie Ihr Gericht im Kurs und machen Sie ein Kursrezeptbuch mit allen Gerichten.

Mein Gericht heißt Käsefondue. Es kommt aus der Schweiz. Du brauchst: Käse, Wein und Brot.

▶ 2 08 **1 Hören Sie das Lied und sortieren Sie die Strophen.**

Heute ist der Tag!

○ Tina, wann kann ich dich heute sehen?
Tina, möchtest du spazieren gehen?
Hhmm, du bist wunderschön!
Hast du heute Zeit?
Ich möchte dich so gerne sehen!

② Wir können essen, können trinken.
Möchtest du noch ein Glas Wein?
Wir können tanzen, können singen,
können einfach glücklich sein.

③ Tina! Hhmm, Tina!
Wie gern ich dich mag!
Ich weiß es ganz genau:
Heute ist der Tag!

○ Tina, ich möchte dich was fragen:
Tina, was machst du heute Abend?
Hhmm, der Tag heute ist so schön!
Sag, hast du Zeit?
Ich möchte dich heute Abend sehen.

○ Wir können essen, können trinken.
Möchtest du noch ein Glas Wein?
Wir können tanzen, können singen,
können einfach glücklich sein.

○ Tina! Oh, Tina!
Wie gern ich dich mag!
Ich weiß es ganz genau:
Heute ist der Tag!

▶ 2 08 **2 Hören Sie noch einmal und singen Sie mit.**

Ich steige jetzt in die U-Bahn ein. 10

Hören: Durchsagen

Sprechen: sich informieren: *Wann kommst du in Hamburg an?*; ein Telefonat beenden: *Also dann ...*

Wortfelder: Verkehrsmittel, Reisen

Grammatik: trennbare Verben: *Ich rufe dich an.*

▶ 2 09 **1 Schließen Sie die Augen und hören Sie.**
Was „sehen" Sie? Hilfe finden Sie auch im Wörterbuch.

Ein Kind singt.

▶ 2 10 **2 Was ist richtig? Sehen Sie das Foto an, hören Sie und kreuzen Sie an.**

a Wo ist der Mann?
- ○ am Flughafen
- ○ am Bahnhof

b Was macht der Mann?
- ○ Er steigt aus.
- ○ Er steigt ein.

Bahnhof | Flughafen | S-Bahn | Taxi | Bus | Zug | Straßenbahn | U-Bahn

▶ 2 11 **3** **Ich bin jetzt …**

noch einmal?

a **Hören Sie und ordnen Sie die Fotos den Sätzen in b zu.**

b **Was ist richtig? Kreuzen Sie an.**

		Foto
1	Der Mann telefoniert mit ○ seiner Tochter. ○ seiner Mutter.	A, C
2	Der Mann ist ○ zu Hause. ○ bei Verena.	___
3	Der Mann steigt ○ in die U-Bahn ○ in die S-Bahn ein.	___
4	Der Mann kommt ○ in München ○ in Essen an.	___

A B C

AB **4** **Ich steige jetzt in die U-Bahn ein.**

▶ 2 12 **a** **Hören Sie noch einmal und sortieren Sie.**

○ Ja, dann rufe ich dich an.
○ In vierzig Minuten komme ich zu Hause an.
○ Ja, den Koffer habe ich und die Tasche auch.
① Nein, nein, ich bin noch nicht zu Hause.

▶ 2 13 **b** **Ergänzen Sie. Hören Sie dann noch einmal.**

~~Achtung~~ | Bahnsteig | Halt | Vorsicht

1 Am ______________ 2 fährt gerade die U2 ein.
2 Bitte ______________!
3 Nächster ______________ Innsbrucker Ring.
4 Achtung! Bitte zurückbleiben.

▶ 2 14 **c** **Hören Sie noch einmal und ergänzen Sie.**

ein | an | fern

1 Ach, vielleicht kaufe ich noch was ______.
2 Siehst du noch ein bisschen ______?
3 Rufst du mich morgen mal ______?

▶ 2 15 **5** **Ergänzen Sie. Hören Sie dann noch einmal und vergleichen Sie.**
AB **Notieren Sie auch die Infinitive.**

Spiel & Spaß

an | an | ein | ein | fern | kaufe | komme | rufe | siehst | ~~steige~~

a Ich steige jetzt in die U-Bahn ______. (einsteigen)
b In vierzig Minuten __________ ich zu Hause ______. (______________)
c Ja, dann __________ ich dich ______. (______________)
d Ach, vielleicht __________ ich noch was ______. (______________)
e __________ du noch ein bisschen ______? (______________)

GRAMMATIK

an⌇rufen →	Ich	rufe	dich	an.
		Rufst	du mich	an?
	Wann	rufst	du mich	an?

auch so: ein⌇steigen, fern⌇sehen, …

● Flugzeug ● Gleis ● Bahnsteig ● Koffer ● Tasche ● Gepäck ● Haltestelle

AB **6** **Gespräche üben: Wann kommst du an?**

Diktat

Arbeiten Sie auf Seite 154. Ihre Partnerin / Ihr Partner arbeitet auf Seite 160.

AB **7** **Am Bahnhof**

Spiel & Spaß

a Was passt? Ergänzen Sie die Wörter aus dem Bildlexikon. Kennen Sie noch weitere Wörter?

Beruf

b Welches Foto passt? Ordnen Sie zu.

④ a ■ Nimmst du ein Taxi?
▲ Nein, ich nehme die S-Bahn und steige dann in den Bus um.

○ b ■ Bringst du einen Cappuccino mit?
▲ Ja, gern.

○ c ■ Wo fährt der Zug nach München ab?
▲ Auf Gleis 10.

○ d ■ Entschuldigen Sie, fährt ein Bus vom Hauptbahnhof zum Flughafen?
▲ Nein, aber die Straßenbahn fährt zum Flughafen.

○ e ■ Ich habe viel Gepäck. Holst du mich am Bahnhof ab?
▲ Ja, klar. Wann kommst du an?

	nehmen
ich	nehme
du	nimmst
er/sie	nimmt

INFO

8 **Machen Sie zu zweit ein Satzpuzzle.**

Schreiben Sie fünf Sätze mit den Wörtern aus dem Kasten und aus dem Bildlexikon. Zerschneiden Sie die Sätze und geben Sie sie einem anderen Paar.

mitbringen | umsteigen | abholen | abfahren | einsteigen | ankommen | aussteigen | fernsehen | einkaufen | anrufen

Ich rufe dich morgen an.

interessant?

9 **Wo steigst du um? Arbeiten Sie zu viert auf Seite 157.**

▶ 2 16 **10 Also dann, auf Wiedersehen!**

a **Was sagt der Mann? Hören Sie noch einmal und kreuzen Sie an.**

- ◯ Ja, bis bald.
- ◯ Mach's gut!
- ◯ Tschüs.
- ◯ Gut, dann bis morgen.
- ◯ Pass auf dich auf!
- ◯ Also dann, auf Wiedersehen.

b **Wie verabschiedet man sich in Ihrer Muttersprache? Können Sie die Ausdrücke in a übersetzen?**

11 Gehen Sie durch den Kursraum und verabschieden Sie sich von den anderen.

Audiotraining

GRAMMATIK

trennbare Verben		
an¦rufen	→	Ich rufe dich an.
ein¦kaufen	→	Vielleicht kaufe ich noch was ein.

trennbare Verben im Satz				
Aussage	Vielleicht	kaufe	ich noch etwas	ein.
W-Frage	Wann	rufst	du mich	an?
Ja-/Nein-Frage		Rufst	du mich heute	an?

KOMMUNIKATION

Durchsagen
Am Bahnsteig zwei fährt die U2 ein. Bitte Vorsicht! Nächster Halt: Innsbrucker Ring. Achtung! Bitte zurückbleiben.

am Bahnhof: sich informieren	
Wo fährt der Zug nach ... ab?	Auf Gleis ...
Wann kommst du / kommt der Zug aus ... an?	Um ... Uhr.
Wo steigen wir aus?	Am Bahnhof / ...
Wo steigst du ein?	Auf Gleis ...
Holst du mich (am Bahnhof / ...) ab?	Ja, gern. Wann kommst du an?

ein Telefonat beenden
Gut, dann ... / Also dann ... Bis morgen. / Bis bald. Mach's gut! / Pass auf dich auf! Auf Wiedersehen! / Tschüs!

Was hast du heute gemacht? 11

Sprechen: über Vergangenes sprechen: *Was hast du gestern gemacht?*

Lesen: Terminkalender, E-Mail

Schreiben: einen Tagesablauf beschreiben

Wortfelder: Alltagsaktivitäten

Grammatik: Perfekt mit *haben*; temporale Präpositionen *von ... bis, ab*

1 Sehen Sie das Foto an. Fahren Sie auch gern Fahrrad? Wie oft und wohin?

täglich | zwei- bis dreimal in der Woche | nur am Wochenende | fast nie | nie
zum Einkaufen | zur Arbeit | ins Café/Schwimmbad/Kino/...

- ■ Also, ich fahre sehr gern Fahrrad. Ich fahre täglich zur Arbeit und zum Einkaufen.
- ▲ Wirklich? Ich fahre nie Fahrrad. Ich habe gar kein Fahrrad.

▶ 2 17

2 Sehen Sie das Foto an und hören Sie. Wer ist Anja? Was meinen Sie?

Alter: 29
Beruf:
Hobbys:
Kinder:
...

Ich glaube, Anja ist 29 Jahre alt und arbeitet als ...

Hausaufgaben machen

E-Mails schreiben

fern·sehen

ein·kaufen

schlafen

auf·räumen

AB **3** **Was macht Anja heute?**

Lesen Sie den Terminkalender. Spielen Sie dann ein Telefongespräch mit Anja.

MONTAG 3. JUNI

Termine:

9 Uhr	
10 Uhr	Büro
11 Uhr	
12 Uhr	
13 Uhr	13:15 Uhr Essen bei Barbara
14 Uhr	
15 Uhr	
16 Uhr	ab 16:00 Uhr Cello üben
17 Uhr	
18 Uhr	
19 Uhr	bis 20:30 Uhr Orchesterprobe
20 Uhr	
21 Uhr	

Notizen:

Dr. Weber anrufen!!!
Nora und Marc anrufen
Firma Bergmair / Küchenschrank fertig?
Geschenk für Tante Betti kaufen
Wein für die Party kaufen

■ Hallo Anja, was machst du gerade?
▲ Ich frühstücke gerade. Um Viertel vor neun gehe ich ins …

■ Und was machst du heute noch?
▲ Ich rufe heute noch Frau Dr. Weber an … Heute Abend habe ich von sechs bis halb neun Orchesterprobe.

GRAMMATIK

von 9 Uhr X ——→ X bis 13 Uhr

ab 9 Uhr
X ——X——→
jetzt 9 Uhr

AB **4** **Was machen Sie heute nach dem Deutschkurs?**

Sehen Sie das Bildlexikon zwei Minuten lang an. Schließen Sie dann Ihr Buch. Ihre Kursleiterin / Ihr Kursleiter nennt die Tätigkeiten. Machen Sie das heute? Dann stehen Sie auf.

AB **5** **Was hast du heute gemacht?**

a **Lesen Sie die E-Mails auf Seite 65 und kreuzen Sie an. Was meinen Sie?**

1 Anja ist schwanger. Sie ○ hat ○ bekommt ein Baby.
2 Michi und Anja sind ○ ein Paar. ○ Kollegen.
3 Michi ist auf einer ○ Dienstreise. ○ Privatreise.
4 Michi findet seine Arbeit ○ interessant. ○ nicht so gut.
5 Anja hat ○ am Vormittag ○ am Nachmittag gearbeitet.
6 Barbara ist ○ eine Freundin ○ eine Kollegin von Anja.

arbeiten

eine Pause machen

Deutsch lernen

Zeitung lesen

Kaffee kochen

Hallo mein Schatz,

geht's Dir gut? Gibt's was Neues? Was hast Du denn heute alles gemacht? Hast Du Frau Dr. Weber angerufen? Was hat sie gesagt? Und wie geht's dem Baby? Du hattest auch Orchesterprobe heute, richtig? Habt Ihr fleißig für das Konzert geübt?

Hier ist es wie immer: langweilig! Ich habe den ganzen Tag mit Geschäftspartnern und Kunden gesprochen ☹. Und immer wieder habe ich gedacht: Jetzt möchte ich zu Hause sein, bei Dir und nicht in dieser Stadt hier.

Ich freue mich auf Dich!
Michi

	einladen
ich	lade ein
du	lädst ein
er/sie	lädt ein

INFO

Hallo mein Liebster,

ich habe auch oft an Dich gedacht! Mit Frau Dr. Weber habe ich heute Morgen telefoniert. Mit unserem Baby ist alles okay, hat sie gesagt. Sie hat gemeint, ich kann noch bis Dezember arbeiten. Ist das nicht super!? ☺☺☺
Was habe ich noch gemacht? Von neun bis eins habe ich gearbeitet und dann hat mich Babs zum Mittagessen eingeladen. Wir haben uns ja schon lange nicht mehr gesehen, also haben wir viel geredet (und gelacht ☺). Nachmittags habe ich eingekauft und geübt und am Abend hatte ich Orchesterprobe. Was noch? Ach ja: Ich habe Herrn Bergmair eine Mail geschrieben. Er hat gleich angerufen. Der Küchenschrank ist fertig. Sie bringen ihn am Mittwoch ☺.

Ich freue mich schon sooo auf Dich!
Anja

Spiel & Spaß

b Lesen Sie die E-Mails noch einmal. Markieren Sie die Perfekt-Formen und ergänzen Sie die Tabelle.

~~anrufen~~ | ~~machen~~ | sprechen | ~~telefonieren~~ | üben | denken | einladen | reden | lachen | ein-kaufen | arbeiten | meinen | schreiben | sehen

GRAMMATIK

Perfekt mit haben

Infinitiv	Präsens (jetzt)	haben +	Perfekt (früher) Partizip ...t	...en
machen	er/sie macht	er/es/sie hat	gemacht	
an|rufen	er/sie ruft an	er/es/sie hat		angerufen
telefonieren	er/sie telefoniert	er/es/sie hat	telefoniert	
...				

ich habe / er hat ... gehabt
= ich/er hatte

INFO

AB **6 Hast du letzten Freitag E-Mails geschrieben?**

Beruf

a Wer hat was wann gemacht? Arbeiten Sie auf Seite 158.

b Pantomime-Spiel: Was haben Sie letzten Freitag gemacht? Machen Sie eine Bewegung. Die anderen raten.

Spiel & Spaß

■ Was habe ich letzten Freitag gemacht?
▲ Hast du Freunde eingeladen?
■ Nein, ich habe keine Freunde eingeladen. / Nein, habe ich nicht.
▲ Hast du Sport gemacht?
■ Ja.

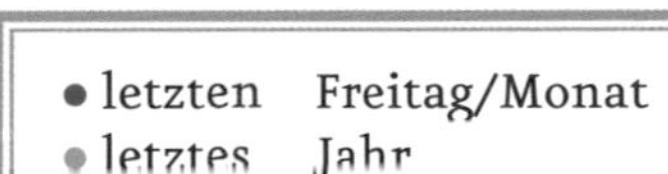
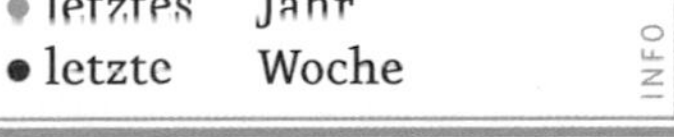

• letzten	Freitag/Monat
• letztes	Jahr
• letzte	Woche

INFO

AB **7 Eine E-Mail schreiben: Arbeiten Sie zu zweit auf Seite 162.**

Diktat

8 Was haben Sie gestern gemacht?

Film

a Machen Sie Notizen.

Hausaufgaben machen | auf¦räumen | frühstücken | fern¦sehen | schlafen | ein¦kaufen | telefonieren | arbeiten | eine Pause machen | Deutsch lernen | lesen | kochen | essen | an¦rufen | Freunde treffen/ein¦laden | im Internet surfen | Musik hören | Fußball/Tennis … spielen | singen | malen | fotografieren | tanzen

7:00 frühstücken
9:00 …

b Verwenden Sie die Notizen und schreiben Sie Sätze.

**c Geben Sie Ihrer Partnerin / Ihrem Partner Ihre Sätze.
Sie/Er korrigiert Ihren Text (Rechtschreibung/Grammatik).**

Ich habe um sieben Uhr gefrühstückt.
Von neun bis zwölf habe ich gearbeitet. …

Audiotraining

GRAMMATIK

temporale Präpositionen von … bis, ab

Wann? Von 9 Uhr X ———→X bis 10 Uhr

Ab 9 Uhr X ——X——→ (jetzt, 9 Uhr)

KOMMUNIKATION

über Vergangenes sprechen	
Was hast du heute / gestern / letzten Montag / letzte Woche / … gemacht?	Von neun bis eins habe ich gearbeitet. Ich habe eine E-Mail geschrieben.

Perfekt mit haben

Verb		haben +	Partizip …-t/-en	
regelmäßig	machen	er/sie hat	gemacht	*auch so:* sagen – gesagt, arbeiten – gearbeitet, …
unregelmäßig	schreiben	er/sie hat	geschrieben	*auch so:* essen – gegessen, trinken – getrunken, …
trennbar	auf¦räumen an¦rufen	er/sie hat er/sie hat	aufgeräumt angerufen	*auch so:* einkaufen – eingekauft, … *auch so:* einladen – eingeladen, fernsehen – ferngesehen, …
Verben auf -ieren	telefonieren	er/sie hat	telefoniert	*auch so:* fotografieren – fotografiert, …

Perfekt im Satz

Aussage	Ab 9 Uhr	habe	ich	gearbeitet.
W-Frage	Was	hast	du sonst noch	gemacht?
Ja-/Nein-Frage		Hast	du Frau Dr. Weber	angerufen?

Was ist denn hier passiert? 12

Hören: Interviews

Sprechen: über Feste und Reisen sprechen: *Das Oktoberfest gibt es seit ... / Er ist nach München geflogen.*

Lesen: Informationstexte

Wortfelder: Jahreszeiten, Monate

Grammatik: Perfekt mit *sein*; temporale Präposition *im*

▶ 2 18 **1 Sehen Sie das Foto an und hören Sie. Was ist hier passiert? Was meinen Sie?**

Geburtstag | Hochzeit | Silvester | Karneval ...

Ich glaube, die Leute haben Geburtstag gefeiert.

2 Wann haben Sie das letzte Mal gefeiert? Erzählen Sie.

Wann? gestern | letzte Woche | letzten Monat | ...
Was? Geburtstag | Hochzeit | Silvester | Karneval | ...
Wo? auf der Straße | im Restaurant | zu Hause | ...

■ Ich habe letzte Woche Geburtstag gefeiert.
▲ Wir haben im Restaurant gefeiert. Es hat viel Spaß gemacht. Wir haben viel getanzt und gelacht.

AB **3** **Feste und Events**

▶ 2 19 **a Was passt? Hören Sie und ordnen Sie zu.**

A ○

In der Nacht vom 31. Dezember auf den 1. Januar feiern Menschen in der ganzen Welt Silvester und Neujahr. Die größte Silvester-Open-Air-Party (mit einer Million Besuchern!) gibt es seit 1995 am Brandenburger Tor in Berlin.

B ①

Den Karneval in Köln* gibt es seit 1823. Er fängt am 11. November um 11:11 Uhr an und hört im Februar oder im März auf. Die ganz großen Karnevalsfeste sind immer an den letzten sechs Tagen.

* Karneval (auch: „Fasching" oder „Fasnacht") gibt es auch an vielen anderen Orten.

C ○

Seit 1985 gehen viele Rockmusik-Fans im Mai oder Juni zu ‚Rock am Ring'. Das Festival am Nürburgring in der Eifel dauert zwei bis drei Tage. Rund um die Uhr können die 70.000 bis 80.000 Besucher ihre Lieblingsbands hören.

D ○

Seit 1810 gibt es das Oktoberfest in München. Es ist jedes Jahr im September und Oktober und dauert ungefähr zwei Wochen. Es kommen etwa fünf bis sechs Millionen Besucher.

interessant?

b Lesen Sie und notieren Sie. Hilfe finden Sie im Bildlexikon.

Jahreszahlen
1823 → achtzehnhundertdreiundzwanzig
2014 → zweitausendvierzehn
INFO

	wo?	seit wann?	wann (Monat) / wie lange?	wie viele Besucher?
Oktoberfest	in München	seit 1810	September/Oktober, zwei Wochen	5–6 Millionen

KOMMUNIKATION
Das Oktoberfest / Der Karneval / …
ist in … / gibt es seit …
ist im September / im Herbst …
dauert … und hat … Besucher

GRAMMATIK
Wann?
im Oktober/Herbst

c Auf welches Fest möchten Sie gern gehen? Sprechen Sie.

■ Ich möchte gern Silvester in Berlin feiern. Und du?
▲ Ja, ich auch. Ich tanze gern.
● *Rock am Ring* im Mai? Das klingt interessant. Ich liebe Rockmusik.

AB

4 Warst du schon mal in Deutschland auf einem großen Fest?

▶ 2 20-21

noch einmal?

a Was ist richtig? Hören Sie die Interviews und kreuzen Sie an.

1
- Henry ist vor drei Monaten nach Hamburg gekommen. ◯
- Henry ist letztes Jahr im Oktober zum Oktoberfest geflogen. ◯
- Er hat viele nette Leute getroffen. ◯
- Er möchte dieses Jahr wieder zum Oktoberfest fahren. ◯

2
- Carmela und Matteo studieren in Flensburg. ◯
- Sie waren im März bei *Rock am Ring*. ◯
- Das Festival hat ihnen gut gefallen. ◯
- Im September fahren sie nach Berlin. ◯

INFO

		Wohin?
München / Deutschland	→	nach München/Deutschland fahren
die Schweiz / die Türkei	→	in die Schweiz/Türkei
der Iran	→	in den Iran

Spiel & Spaß

b Lesen Sie die Sätze in 4a noch einmal und ergänzen Sie.

geflogen | ist | ist | gekommen

GRAMMATIK

Perfekt mit sein		
kommen	er	___ ... ___
fliegen		___ ... ___
fahren		ist ... gefahren
gehen		ist ... gegangen

INFO

ich bin / er ist ... gewesen = ich/er war

Beruf

5 Perfekt üben: Was hat Marc letzte Woche gemacht?

Arbeiten Sie auf Seite 154. Ihre Partnerin / Ihr Partner arbeitet auf Seite 157.

AB

6 Mein Top-Party-Erlebnis

a Schreiben Sie Stichpunkte auf einen Zettel.

getanzt | gesungen | gefeiert | gegessen | getrunken | Musik gehört | Freunde getroffen | ...

Was?	Oktoberfest
Wo?	München
Wann?	letztes Jahr: Herbst
Wie dorthin gekommen?	geflogen
Was gemacht?	mit Freunden etwas getrunken, gesungen, ...

Diktat

b Mischen Sie die Zettel. Jeder Teilnehmer liest einen Zettel vor. Die anderen raten: Wer hat das geschrieben?

Meine Person war auf dem Oktoberfest in München. Das war letztes Jahr im Herbst ...

AB

7 Besondere Aktivitäten. Hast du schon einmal ...?

Arbeiten Sie zu zweit auf Seite 161.

MINI-PROJEKT

8 Jahreszeiten-Poster

a **Machen Sie zu viert ein Jahreszeiten-Poster. Was machen Sie in dieser Jahreszeit gern?**

b **Präsentieren Sie Ihr Poster im Kurs.**

Im Frühling fahren wir gern Fahrrad.

Audiotraining

Karaoke

GRAMMATIK

temporale Präposition im
im + Monat/Jahreszeiten: im Oktober/Herbst

Perfekt mit sein

Verben		sein +	Partizip …-en
unregelmäßig	gehen fliegen fahren kommen …	er/sie ist	gegangen geflogen gefahren gekommen
trennbar	an¦kommen ein¦steigen ab¦fahren	er/sie ist	angekommen eingestiegen abgefahren

KOMMUNIKATION

über Reisen sprechen (Vergangenheit)
Henry ist vor drei Monaten nach Deutschland/Hamburg gekommen. Letztes Jahr ist er nach München / in die Schweiz geflogen.

über Feste sprechen
Das Fest heißt … / ist in … / hat … Besucher / dauert … / gibt es seit … Wir haben Musik gehört, getanzt und viele nette Leute getroffen.

UNTERWEGS

Der Reise-Blog von Anja Ebner

LINKS

ÜBER MICH

- Sommer in Süditalien
- Michael und ich am Gardasee
- Mein Frühlings wochenende am Rhein
- Orchester-wochenende in Luzern
- Michael und ich in New York
- Wales und Schottland
- Sommer in Kühlungsborn
- Winter mit Michi in Helsinki
- Drei Monate auf Java und Borneo

Freitag, 12. April / 22:15 Uhr: Um 12 Uhr bin ich losgefahren. Es war nicht viel Verkehr. Schon um 15 Uhr war ich in meinem Hotel in Speyer. Danach bin ich gleich losgegangen. Die Stadt ist über 2000 Jahre alt! Am Abend war ich in einem Restaurant und habe „Pfälzer Saumagen" gegessen. Das ist eine Spezialität hier: Schweinefleisch mit Kartoffeln. Dazu ein Glas Pfälzer Wein. Sehr, sehr lecker!

Speyer: Maximilianstraße und Dom

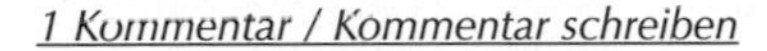

1 Kommentar / Kommentar schreiben

Speyerfan_92: Hallo Anja! In Speyer war ich letztes Jahr auch. Hast du das „Technik Museum Speyer" gesehen? Das ist total interessant. LG, Pit

Auf Kommentar antworten

Samstag, 13. April / 15:30 Uhr: Ich habe bis 10 Uhr geschlafen. Dann habe ich gefrühstückt und bin am Mittag nach Mannheim gefahren. Viele Leute mögen die Stadt nicht so. Ich finde Mannheim super. Ich mag auch die „Söhne Mannheims" und Xavier Naidoo. So, jetzt kaufe ich noch ein bisschen ein und heute Abend gehe ich in ein Konzert oder zum Tanzen in einen Club. Mal sehen.

Mannheim: Wasserturm mit Park

0 Kommentare / Kommentar schreiben

Sonntag, 14. April / 10:30 Uhr: Gestern war ich tanzen. Die Musik war toll und die Leute waren sehr nett. Ich habe einen Tipp bekommen: Im Schlosspark von Schwetzingen blühen die Kirschbäume. Das möchte ich sehen, also los!
Sonntag, 14. April / 12 Uhr: Der Tipp war super! So viel Rosa habe ich noch nie gesehen. Ich möchte noch nicht nach Hause fahren. Aber leider ist das Wochenende schon fast vorbei. Wie schade! ☹

Schwetzingen: Kirschbäume im Schlossgarten

0 Kommentare / Kommentar schreiben

1 Welcher Link passt? Lesen Sie die Texte und markieren Sie den passenden Link.

2 Was hat Anja wann gemacht? Lesen Sie noch einmal und ergänzen Sie die Wochentage.

Freitag ______

______

______

______

______

▶ Clip 10

1 Mein Weg ins Büro – Was ist richtig? Sehen Sie die Reportage und kreuzen Sie an.

a Hanna wohnt in Weßling. ◯
b Sie arbeitet in Weßling. ◯
c Sie hat kein Auto. ◯
d Sie steigt in Weßling in die S-Bahn ein. ◯
e Am Hauptbahnhof steigt sie um. ◯
f Um Viertel vor acht kommt sie im Büro an. ◯

▶ Clip 11

2 Martins Tag – Sehen Sie das Videotagebuch, ordnen Sie zu und erzählen Sie dann.

aufräumen und sauber machen | einen Spaziergang machen | frühstücken und Zeitung lesen | zu Abend essen | kochen | schlafen | Silvia anrufen | Silvia im Rosengarten treffen | Jenga spielen

bis 9:30 Uhr: ______
bis 10:00 Uhr: *Croissants backen, Zeitung holen, Kaffee machen*
von 10:00 Uhr bis 11:00 Uhr: ______
von 11:00 Uhr bis 13:00 Uhr: ______
um 13:00 Uhr: ______
um 14:00 Uhr: ______
von 14:00 Uhr bis 16:30 Uhr: ______
von 16:30 Uhr bis 18:00 Uhr: *reden, Wasser trinken, einkaufen*
von 18:00 Uhr bis 18:30 Uhr: ______
um 18.30 Uhr: ______
von 19:00 Uhr bis 21:00 Uhr: ______

Gestern hat Martin bis halb zehn geschlafen. Dann …

▶ Clip 12

3 Das war so schön! – Sehen Sie die Diashow und ergänzen Sie.

am Freitag | Annas Geburtstagsfeier | Betriebsfeier | Faschingsfest | Führerscheinprüfung geschafft | ~~im Winter vor 20 Jahren~~ | in der Firma | langweilig | lustig | Leipzig | letzten Mai | Österreich | toll | vor einem Jahr

A B C D

	A	B	C	D
Welches Fest?				
Wo?				———
Wann?	*im Winter vor 20 Jahren*			
Wie war es?				———

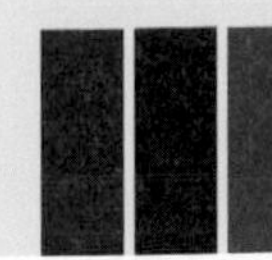

1 Öffentliche Verkehrsmittel in Zürich: Was ist richtig?

Lesen Sie die Touristeninformation und kreuzen Sie an.

Unterwegs in Zürich

Die Stadt Zürich hat ein sehr gutes öffentliches Verkehrsnetz. Viele Zürcher fahren nicht mit dem Auto oder dem Velo, sie fahren mit Bus und Tram. Die öffentlichen Verkehrsmittel sind praktisch und schnell und fahren sehr oft.*

Tipps für Touristen: Fahren auch Sie mit öffentlichen Verkehrsmitteln. Mit Bussen, Trams, S-Bahnen oder Wassertaxis können Sie Zürich einfach, bequem und schnell besichtigen. Die Wassertaxis fahren über die Limmat. So können Sie auf der Fahrt Zürich vom Wasser aus besichtigen. Möchten Sie Zürich lieber von oben sehen? Dann nehmen Sie doch eine der vier Bergbahnen und genießen Sie die tolle Aussicht auf die Stadt.

*CH: Velo = Fahrrad

a In Zürich nehmen wenige Menschen die öffentlichen Verkehrsmittel. ○
b Touristen können Zürich gut mit öffentlichen Verkehrsmitteln besichtigen. ○
c Die Bergbahnen fahren über die Limmat. ○

2 Ein Tag als Tourist in Zürich

a Sie sind am Hauptbahnhof in Zürich, möchten die Stadt besichtigen und dabei alle öffentlichen Verkehrsmittel nehmen. Suchen Sie Informationen im Internet und planen Sie Ihren Tag.

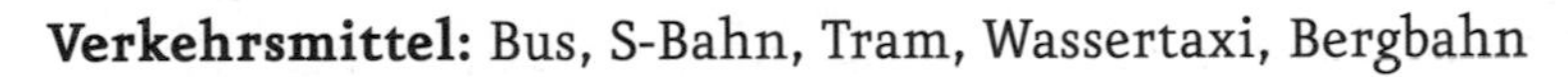

Verkehrsmittel: Bus, S-Bahn, Tram, Wassertaxi, Bergbahn

Sie fahren: zum Zoo, zum Botanischen Garten, zum Schweizerischen Landesmuseum, zum Museum Rietberg

Recherchieren Sie im Internet:
- Wo sind die Sehenswürdigkeiten?
- Wie kommen Sie dorthin? Welche Verkehrsmittel können Sie nehmen? Suchen Sie auch auf der Website der Verkehrsbetriebe Zürich (VBZ).

Planen Sie dann:
- In welcher Reihenfolge wollen Sie die Sehenswürdigkeiten besuchen?
- Wie lange dauern die Fahrten?

b Machen Sie ein Plakat und erzählen Sie im Kurs von Ihrem Tag.

Unser Tag in Zürich
1) Botanischer Garten (Tram/Bus, 15 Minuten)
2) ...

KOMMUNIKATION

Erst haben wir den Bus / ... genommen und sind zum/zur ... gefahren.
Das hat ... Minuten gedauert.
Dann haben wir die S-Bahn / ... genommen und sind ...

PARTY MAX

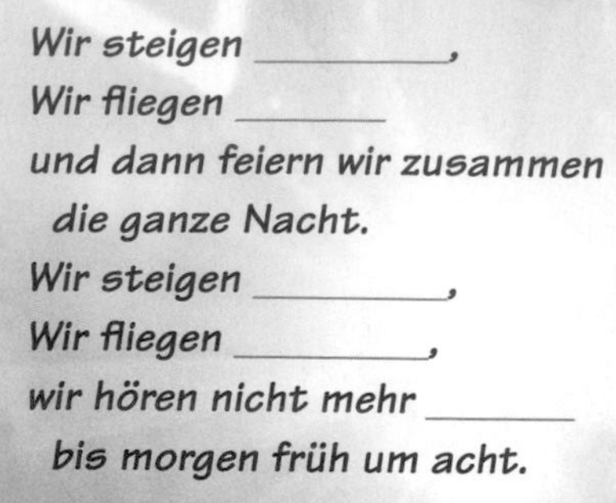

Die Woche ist mal wieder nicht so toll gewesen:
Von morgens bis abends nur Arbeit und Stress.
Doch jetzt ist Freitag und wir wissen:
Heute Abend haben wir die Woche schon vergessen.

Wir steigen ________,
Wir fliegen ________
und dann feiern wir zusammen
die ganze Nacht.
Wir steigen ________,
Wir fliegen ________,
wir hören nicht mehr ________
bis morgen früh um acht.

Tschüs, bis heute Abend. Wir machen wieder ________.
Und DJ PartyMax bringt seine Hits ________.
Er nimmt uns alle mit, er lädt uns alle ________ und alle
sagen: „Danke Max!" und steigen wieder ________.

Wir steigen ________,
Wir fahren ________
und dann feiern wir zusammen
die ganze Nacht.
Wir steigen ________,
Wir fahren ________,
wir hören nicht mehr ________
bis morgen früh um acht.

▶ 2 22 **1 Lesen Sie den Liedtext und ergänzen Sie. Hören Sie dann und vergleichen Sie.**

ein | auf | ab | ein | auf | ein | mit | ein | ab | mit | ein | ab | mit | ab | ein

▶ 2 22 **2 Hören Sie noch einmal und singen Sie mit.**

3 Ihre Musik

a Zu welcher Musik tanzen Sie gern? Bilden Sie Gruppen.

zu Rockmusik | zu Popmusik | zu Techno | zu House | zu Reggae |
zu Punk | zu Ska | zu Swing | zu Salsa | …

b Sprechen Sie in Ihren Gruppen.

- Wo tanzen Sie?
- Wann und wie oft tanzen Sie?
- Wie heißt Ihre Lieblingsband?

Wir suchen das Hotel Maritim. 13

Hören: Wegbeschreibung

Sprechen: Wegbeschreibung: *An der Ampel fahren Sie nach links.*; jemanden um Hilfe bitten: *Entschuldigung. Eine Frage bitte ...*

Wortfeld: Institutionen und Plätze in der Stadt

Grammatik: lokale Präpositionen + Dativ: *Wo? – Vor dem Restaurant.*

▶ 3 01 AB

1 Im Auto

a Sehen Sie das Foto an, hören Sie und kreuzen Sie an. Was ist richtig?

1 Die beiden suchen etwas. ○
2 Die Frau sagt, der Stadtplan stimmt. ○
3 Die Frau macht den Navigator an. ○

b Hören Sie noch einmal. Wer sagt das? Die Frau (F), der Navigator (N) oder keiner (k)?

1 Nach 600 Metern bitte rechts abbiegen. ↱ Ⓝ
2 Fahr geradeaus weiter! ↑ ○
3 Bitte links abbiegen. ↰ ○
4 Bitte wenden Sie. ○
5 Fahr zurück! ○

INFO
1000 Meter (m) = 1 Kilometer (km)

auf | an | neben | vor | hinter

AB **2** **Der Blick von oben. Was sehen Sie hier?**
Sehen Sie das Bildlexikon an und ergänzen Sie.

Spiel & Spaß

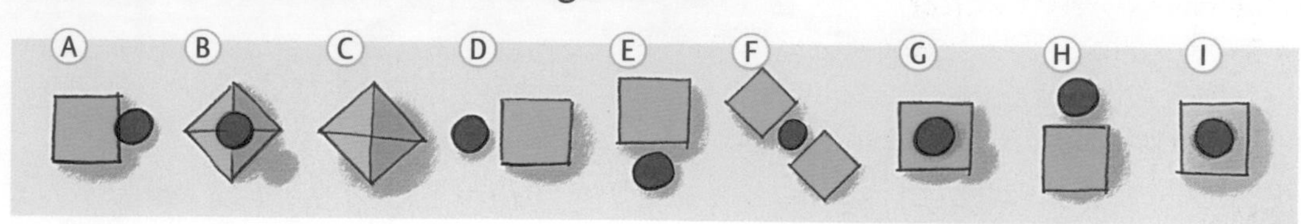

Der Stab ist …
A *an* dem Würfel.
B *über* der Pyramide.
C ______________ der Pyramide.
D ______________ dem Würfel.
E ______________ dem Würfel.
F ______________ den Würfeln.
G ______________ dem Würfel.
H ______________ dem Würfel.
I ______________ dem Würfel.

● Würfel

● Stab
● Pyramide

AB **3** **In der Stadt. Was ist was? Ordnen Sie zu.**

Spiel & Spaß

~~① ● Stadtmitte / ● Zentrum~~ | ② ● Bahnhof | ③ ● Dom | ④ ● Bank | ⑤ ● Restaurant | ⑥ ● Post | ⑦ ● Polizei | ⑧ ● Ampel | ⑨ ● Brücke | ⑩ ● Café

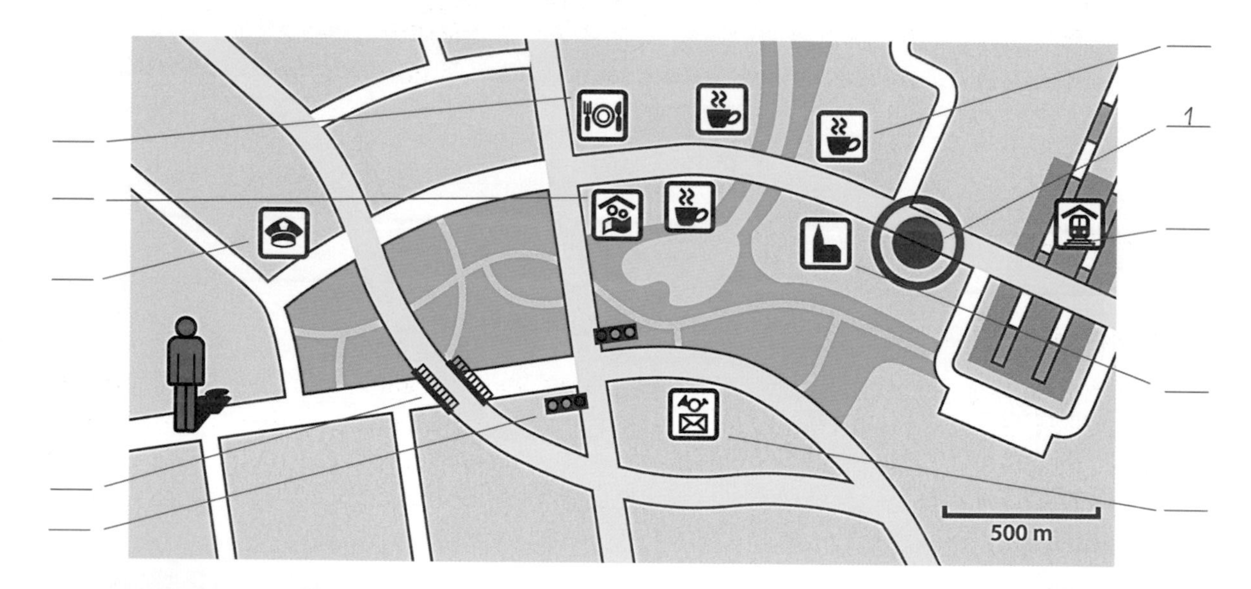

▶ 3 02 **4** **Hören Sie das Gespräch im Auto weiter und kreuzen Sie an.**

	richtig	falsch
a Die beiden suchen ein Hotel.	○	○
b Der Mann hilft. Er kennt das Hotel.	○	○
c Die Frau sagt, das Hotel ist in der Nähe.	○	○

	helfen
ich	helfe
du	hilfst
er/sie	hilft

INFO

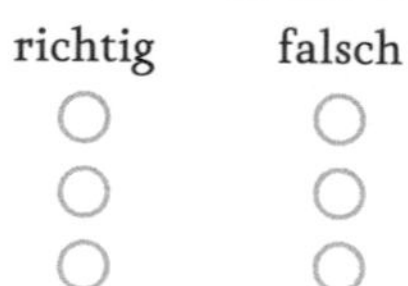

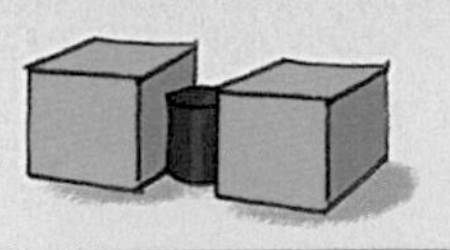

▶ 3 03 AB

5 Wo ist das Hotel?

a Hören Sie das Gespräch weiter. Tragen Sie den Weg und das Hotel in den Plan in 3 ein.

noch einmal?

b Hören Sie noch einmal und kreuzen Sie an.

1 Das ist in ◯ der ◯ die Stadtmitte.
2 Ach, das ‚Maritim' ist ◯ in das ◯ im Zentrum?
3 Ja, zwischen ◯ dem ◯ der Bahnhof und dem Dom.
4 Dann kommen Sie unter ◯ eine ◯ einer Brücke durch.
5 An ◯ der ◯ die Ampel fahren Sie nach links.
6 Vor ◯ dem ◯ das Restaurant fahren Sie nach rechts.
7 An ◯ die ◯ den Cafés fahren Sie vorbei.

c Lesen Sie die Sätze in b noch einmal und ergänzen Sie.

GRAMMATIK

Nominativ		Dativ			
• der/ein	Bahnhof	vor	*dem*	einem	Bahnhof
• das/ein	Restaurant		____	einem	Restaurant
• die/eine	Ampel		____	einer	Ampel
• die/ –	Cafés/Häuser		____	–	Cafés/Häusern

auch so bei: auf, an, neben, hinter, zwischen, über, unter, in

GRAMMATIK

in dem = im
an dem = am

6 Wo ist Laura? Arbeiten Sie auf Seite 163.

AB

7 Wegbeschreibungen. Ordnen Sie zu.

Diktat

~~Entschuldigung!~~ | Ich bin auch fremd hier. | Können Sie mir helfen? | ... einen/zwei/... Kilometer geradeaus. Und dann sehen Sie schon ... | Wo ist denn hier ...? | Kennen Sie ...? | Wenden Sie. | Das ist in der Nähe (von) ... | Ich suche ... | Trotzdem: Danke schön! | Tut mir leid. Ich bin nicht von hier. | Sie biegen rechts/links ab. | Sie fahren/gehen geradeaus / nach rechts / nach links. | ... die nächste Straße rechts/links. | Sehr nett! Vielen Dank!

nach dem Weg fragen	sich bedanken	den Weg beschreiben	den Weg nicht kennen
Entschuldigung! ...			

8 Einen Weg beschreiben: Wie gut ist Ihr Gedächtnis?
Arbeiten Sie zu zweit auf Seite 164.

SPRECHTRAINING

AB **9** **Jemanden um Hilfe bitten**

▶ 3 04 **a Welche Sätze sind höflich? Hören Sie und kreuzen Sie an.**

1 Entschuldigen Sie bitte. Kann ich Sie etwas fragen? Wo finde ich das Café Schiffer? ○
2 Entschuldigen Sie. Haben Sie einen Moment Zeit? Kennen Sie das Café Schiffer? ○
3 Hallo, Sie! Helfen Sie mir! Ich suche das Café Schiffer. ○
4 Hallo! Wo ist denn das Café Schiffer? ○
5 Entschuldigung. Eine Frage bitte: Wo ist denn das Café Schiffer? ○

b Sie kennen den Weg nicht.
Bitten Sie nun höflich um Hilfe.

Beruf

Entschuldigung.
Eine Frage bitte: ...

Bahnhof

Kölner Dom

Hotel Sacher

Audiotraining

Karaoke

GRAMMATIK

Wo? → Lokale Präpositionen mit Dativ			
Nominativ		**Dativ**	
Da ist ...	Wo ist das Hotel? Es ist ...	definiter Artikel	indefiniter Artikel
• der/ein Dom.	neben	dem Dom.	einem Dom.
• das/ein Café.	neben	dem Café.	einem Café.
• die/eine Post.	neben	der Post.	einer Post.
Da sind ...			
• die / – Banken/ Häuser.	neben	den Banken/ Häusern.	– Banken/ Häusern.

auch so: auf, an, vor, hinter, zwischen, über, unter, in
! in dem = im an dem = am

KOMMUNIKATION

jemanden um Hilfe bitten

Entschuldigung! | Entschuldigen Sie (bitte). | Können Sie mir helfen? | Kann ich Sie etwas fragen? | Haben Sie einen Moment Zeit? | Eine Frage bitte: ...

nach dem Weg fragen

Kennen Sie / Wo finde ich ...? | Ich suche ...

sich bedanken und darauf reagieren

Sehr nett! Vielen Dank! | Ach so. Schade. Trotzdem: Danke schön!
Bitte, gern. | Kein Problem.

den Weg beschreiben

Sie fahren zuerst geradeaus und dann nach rechts. | Sie biegen rechts/links ab. | Sie fahren die nächste/zweite/... Straße links/ rechts. | Das ist in der Nähe von ... | Sie fahren zwei Kilometer geradeaus.
Wenden Sie. | Sie gehen/fahren zurück. | Und dann sehen Sie das Hotel / ... schon.

den Weg nicht kennen

Nein. Tut mir leid. | Ich bin auch fremd hier. | Ich bin nicht von hier.

Wie findest du Ottos Haus? 14

Sprechen: etwas beschreiben und bewerten: *Das Haus ist groß. / Ottos Garten finde ich nicht so schön.*

Lesen: Wohnungsanzeigen

Schreiben: E-Mail

Wortfelder: Wohnungen und Häuser

Grammatik: Possessivartikel (Nominativ/Akkusativ) *sein – ihr*; Genitiv bei Eigennamen: *Ottos Haus*

▶3 05 **1 Sehen Sie das Bild an und hören Sie.**
Kennen Sie Computerspiele wie „Glückstadt"? Spielen Sie gern Computerspiele? Welche?

AB **2 Sehen Sie die Häuser auf dem Bild an. Zu wem passt das? Kreuzen Sie an. Hilfe finden Sie im Bildlexikon.**

	Vanilla	Otto
a Das Haus ist groß und elegant.	○	○
b Das Haus ist klein und gemütlich.	○	○
c Im Garten sind viele Blumen.	○	○
d Im Garten steht ein Baum.	○	○
e Das Haus hat viele Fenster.	○	○
f Das Haus hat eine Treppe.	○	○

AB **3** **Wie heißen die Zimmer?**
Notieren Sie die Buchstaben.

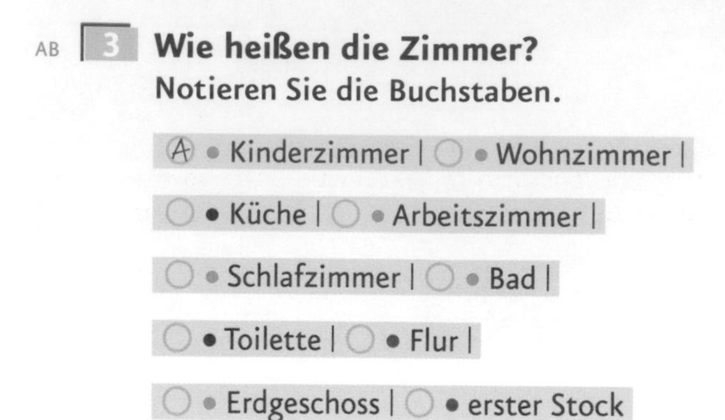

Ⓐ • Kinderzimmer | ◯ • Wohnzimmer |
◯ • Küche | ◯ • Arbeitszimmer |
◯ • Schlafzimmer | ◯ • Bad |
◯ • Toilette | ◯ • Flur |
◯ • Erdgeschoss | ◯ • erster Stock

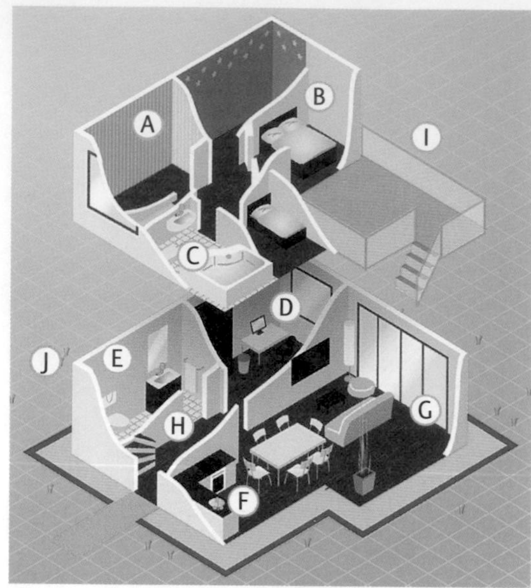

▶3 06 AB **4** **Elena, Maria und „Glückstadt". Hören Sie und kreuzen Sie an.**

noch einmal?

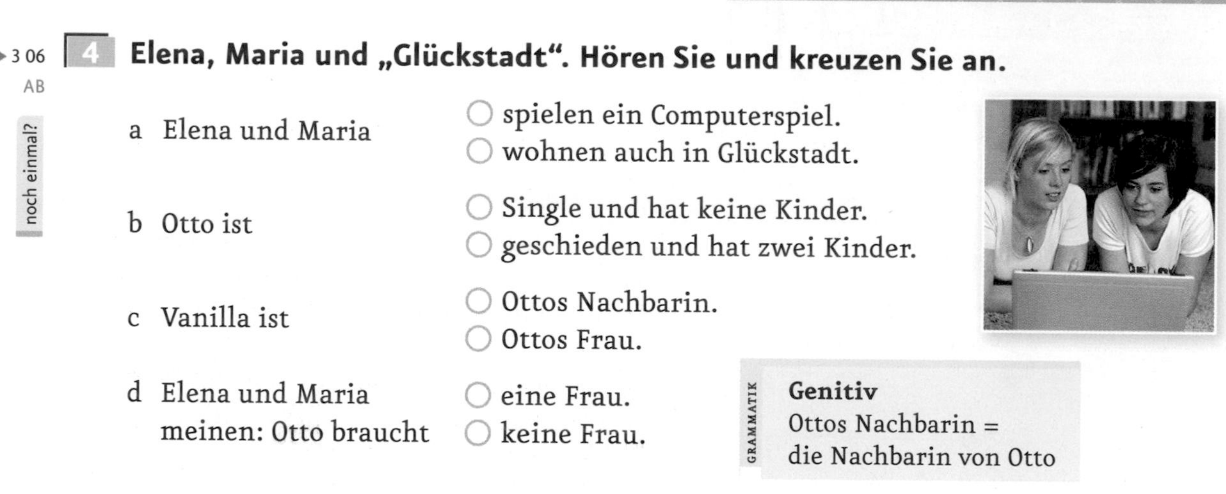

a Elena und Maria
◯ spielen ein Computerspiel.
◯ wohnen auch in Glückstadt.

b Otto ist
◯ Single und hat keine Kinder.
◯ geschieden und hat zwei Kinder.

c Vanilla ist
◯ Ottos Nachbarin.
◯ Ottos Frau.

d Elena und Maria meinen: Otto braucht
◯ eine Frau.
◯ keine Frau.

GRAMMATIK
Genitiv
Ottos Nachbarin =
die Nachbarin von Otto

AB **5** **Und rechts ist sein Wohnzimmer.**

▶3 06 **a** **Hören Sie noch einmal und ergänzen Sie *sein*, *seine* oder *seinen*.**

1 Da oben ist *sein* Balkon. Und da hinten ist ________ Garage – und ________ Auto.
2 Und ________ Haus? Wie findest du Ottos Haus?
3 ________ Haus finde ich schön. Aber ________ Garten mag ich nicht so.
4 Was ist denn mit Ottos Frau? – ________ Frau? Otto hat keine Frau.
5 Aber von wem sind denn dann ________ Kinder?

b **Ergänzen Sie.**

GRAMMATIK

Nominativ Da ist …	**Akkusativ** Ich mag …	
• ________	seine**n**	Balkon.
• sein	________	Haus.
• ________	seine	Garage.
Da sind …	Ich mag …	
• ________	seine	Kinder.

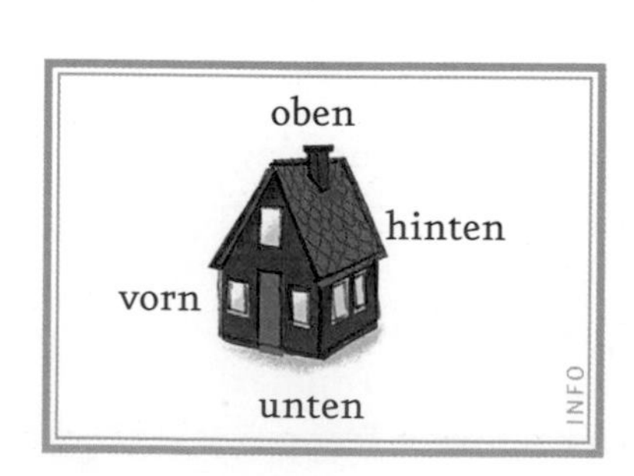

● Fenster ● Balkon ● Erdgeschoss erster ● Stock ● Keller

AB **6** ***sein* und *ihr***

Film

a Wie finden Sie Ottos Haus? Sprechen Sie.

▲ Wie findest du Ottos Garten?
■ Seinen Garten mag ich nicht so. Aber sein Haus ist schön.

KOMMUNIKATION

Ich finde ... interessant/langweilig/...
... mag ich besonders / gar nicht / nicht so.
Aber/Und ... sieht toll / ... / nicht so schön aus.

b Und wie finden Sie Vanillas Haus?

■ Vanillas Haus ist gemütlich.
▲ Ihren Garten mag ich besonders.

GRAMMATIK

Nominativ	Akkusativ
● ihr Balkon	ihr**en**
● ihr Haus	
● ihre Garage	
● ihre Blumen	

Spiel & Spaß

7 Gegenstände beschreiben. Arbeiten Sie zu zweit auf Seite 165.

AB **8 Der „Glückstadt"-Wohnungsmarkt**

interessant?

a Überfliegen Sie die Anzeigen und notieren Sie:

① Wer sucht eine Wohnung / ein Haus? ② Wer bietet eine Wohnung / ein Haus an?

Ⓐ 2
Glückstadt/Stadtmitte. Schöne 2-Zimmer-Wohnung (54 m²) im 3. Stock (Aufzug!) mit Küche, Bad und Balkon. Eigener Stellplatz in der Tiefgarage. 400 € plus 120,00 € Nebenkosten. Sofort frei. braun@ab-immo.com

Ⓑ ___
Polizistin sucht dringend **1½- bis 2-Zimmer-Wohnung** in Glückstadt/Stadtmitte oder Nord, ca. 40 bis 50 m² (nicht über 500 € inkl.). Gern auch möbliert. Kontakt: gittiweiß@polizei-glückstadt.org

Ⓒ ___
Blumenstraße 12. **Nettes kleines Haus,** 120 m², 4 Zi., Küche, 2 Bäder. Schöner großer Garten (700 m²!). Miete 880 € plus NK (200 €). Kontakt: vanilla@btx.net

Ⓓ ___
Glückstadt-Süd. Apartment, 32 m², im EG. Wohn- und Schlafraum plus Küche (mit Kühlschrank und Herd). Monatsmiete: 320 € inkl. NK. braun@ab-immo.com

Ⓔ ___
Super! Wohnen wie auf dem Land
und doch mitten in der Stadt: WGM – Wohnpark Glückstadt Mitte. Nur noch 11 Wohnungen frei. 30 bis 70 m² / Warmmiete 360 bis 880 €/Monat.
Ihr Vermieter: Glückstadtbau AG.
Tel. 34758

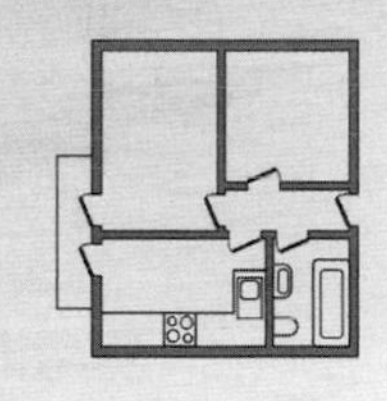

INFO: m² = der Quadratmeter

b Lesen Sie die Anzeigen noch einmal. Was passt zusammen? Markieren Sie die Wörter in den Anzeigen und ordnen Sie zu.

1 Nebenkosten d 2 Vermieter ___ 3 möbliert ___ 4 Miete ___

a Man bezahlt sie jeden Monat für seine Wohnung oder sein Haus.
b Die neue Wohnung ist nicht leer. In der Küche stehen z.B. ein Tisch und Stühle.
c Das ist eine Person oder eine Firma. Sie vermietet die Wohnung oder das Haus und bekommt die Miete.
d Man bezahlt sie zusammen mit der Miete, zum Beispiel für Wasser, Müll oder Licht.

Diktat

9 Wie sieht Ihr Traumhaus aus? Arbeiten Sie zu zweit auf Seite 166.

SCHREIBTRAINING

10 Meine neue Wohnung

Sie sind gerade umgezogen und schreiben eine E-Mail an eine Freundin / einen Freund.

a Wie ist Ihre neue Wohnung? Ergänzen Sie.

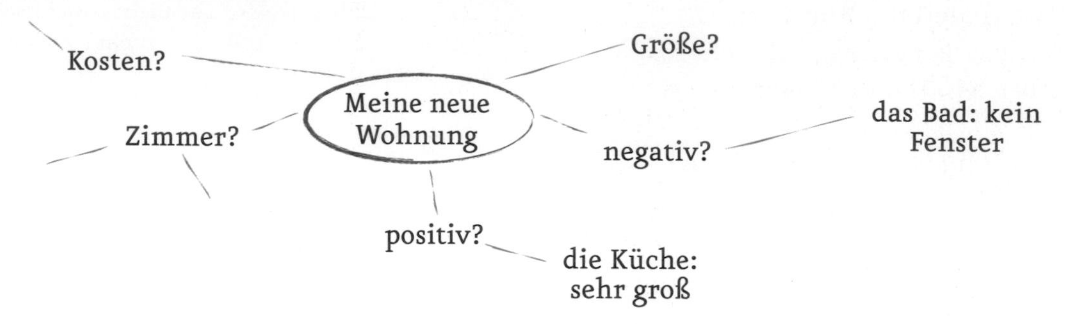

b In welcher Reihenfolge wollen Sie die Punkte aus a erwähnen? Sortieren Sie.

c Wählen Sie eine Anrede, passende Sätze und eine Grußformel und schreiben Sie die E-Mail.

Beruf

Liebe/Lieber ..., | Hallo ...,
ich bin umgezogen. Meine Wohnung ist ... m² groß und kostet ... |
Sie hat eine Küche / ein Bad / ... |
Toll ist: Die Küche / Das Wohnzimmer hat/ist ... |
Leider hat das Bad / ... kein Fenster / ...
Herzliche Grüße | Liebe Grüße | Viele Grüße

Audiotraining | Karaoke

GRAMMATIK

Genitiv bei Eigennamen

Ottos Nachbarin	=	die Nachbarin von Otto
Vanillas Garten	=	der Garten von Vanilla

Possessivartikel *sein/ihr*

	Nominativ		Akkusativ		
	Da ist ... ♂	♀	Ich mag ... ♂	♀	
• Garten	sein	ihr	sein**en**	ihr**en**	Garten.
• Haus	sein	ihr	sein	ihr	Haus.
• Küche	seine	ihre	seine	ihre	Küche.
	Da sind ...		Ich mag ...		
• Kinder	seine	ihre	seine	ihre	Kinder.
			auch so bei: finden, ...		

KOMMUNIKATION

Häuser und Wohnungen beschreiben

Das Haus ist groß/klein und hat sieben/... Zimmer.
Im Erdgeschoss / Im ersten Stock sind drei Zimmer.
Hier vorne links ist die Küche / das ...
Da hinten ist seine Garage / ihr ...
Neben dem Haus ist eine Garage.

Häuser und Wohnungen bewerten

Ich finde ... interessant/langweilig/...
... mag ich besonders / gar nicht / nicht so.
Aber/Und ... sieht toll / ... nicht so schön aus.

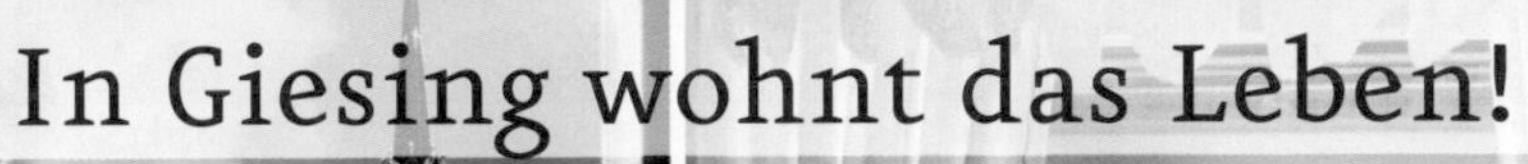

In Giesing wohnt das Leben! 15

Sprechen: einen Ort bewerten: *Giesing ist ganz normal. Das gefällt mir.*; nach Einrichtungen fragen und darauf antworten: *Gibt es eigentlich auch ein Kino in … ?*

Lesen: Blog

Wortfelder: Einrichtungen und Orte in der Stadt

Grammatik: Verben mit Dativ / Personalpronomen im Dativ: *Das gefällt mir.*

1 Der Blick aus meinem Fenster.

a **Was sehen Sie auf den Bildern? Hilfe finden Sie im Bildlexikon.**

▶ 3 07-12 **b** **Was passt? Hören Sie und ordnen Sie zu.**

Text	1	2	3	4	5	6
Foto	___	___	___	___	___	___

interessant?

2 Was sehen Sie aus Ihrem Fenster? Mögen Sie den Blick?

● Café | ● Park | ● Hafen | ● Straße | ● Meer | …

Ich sehe eine Straße. Ich mag den Blick nicht so gern. Was siehst du?

AB **3** **Überfliegen Sie Marlenes Blog.**

a **Worüber schreibt Marlene? Kreuzen Sie an.**

○ über ihre Stadt ○ über ihr Stadtviertel ○ über ihre Straße

b **Zu welchen Themen finden Sie Links?**
Notieren Sie. Nicht alle Wörter passen!

Reisebüro | Kino | Film | Bibliothek | Schule | Jugendherberge | Museum | Friseur | Wetter | Glückstadt | Fotos | Restaurants | Rezepte | Theater

Reisebüro, ...

AB **4** **Mein Lieblingsviertel**

a **Lesen Sie den Blog und die Kommentare noch einmal. Was ist richtig? Kreuzen Sie an.**

1 Giesing ist ein Stadtviertel in München. ○
2 Marlene wohnt sehr gern in Giesing. ○
3 In Giesing wohnen keine Ausländer. ○
4 In Giesing gibt es leider nur sehr wenige Geschäfte. ○

MARLENES BLOG

In Giesing wohnt das Leben!

21. Juni

Seit einem halben Jahr lebe ich in München, in meinem Lieblingsviertel Giesing. Giesing ist ganz normal. Giesing ist nicht toll. Giesing ist nicht ‚in'. Und genau das gefällt mir so gut. Hier leben Alte und Junge zusammen, Arbeiter und Studenten, Deutsche und Ausländer. Der Stadtteil gehört uns allen und hier finden wir auch alles: Es gibt Läden, Werkstätten, viele Kneipen und Restaurants. Ich wohne mit meiner Familie in der Tegernseer Landstraße. Von hier aus kommen wir überall sehr gut zu Fuß hin: Der Kindergarten ist gleich um die Ecke, zur Schule ist es auch nicht weit, mein Friseur ist im Nachbarhaus und zur Post sind es keine 50 Meter. Ich sag's ja: Giesing ist ganz normal und das finde ich super so!

Kommentare

Hallo Marlene! Gratuliere! Dein Blog gefällt mir. Und dein Text über Giesing hilft mir sehr. Ich möchte nämlich bald in München studieren. Ich habe noch keine Wohnung dort, aber vielleicht kenne ich jetzt ja schon mal den richtigen Stadtteil. Eine Frage noch: Gibt es eigentlich auch ein Kino in Giesing? Ich danke dir!
„Claudia aus Essen" *26. Juni um 22:12 Uhr* *Antworten*

Ja, Giesing ist schon okay. Aber so toll ist es nun auch wieder nicht. Andere Stadtteile sind auch schön. Mir gefallen die Maxvorstadt und das Lehel sehr gut.
„Teddybär" *28. Juni um 16:43 Uhr* *Antworten*

THEATER IM TURM
www.tit.de

Aktuelles

10.000 Euro für Bücher! Wir helfen unserer Stadtteilbibliothek.

Eine Jugendherberge für Giesing: Hermann Schrader dankt der Stadt München.

"Ich liebe diese Landschaft!" Meer und Berge auf Korsika. 12 Fotos und ein Text von Lars Trockau.

"Hundert Bäume sind noch kein Wald" – Der neue Film von Sam Jung läuft jetzt im Kino.

Links

München-Wetter
(Regen oder Sonne?)

Hermis Küche
(Tolle Kochrezepte!)

Glückstadt-Fanseite
(Für alle ‚Glückstadt'-Spieler)

WR *wächterreisen*

Meer?

Wald?

Stadt?

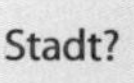

Berge?

Kommen Sie einfach zu uns! Wir helfen Ihnen weiter.

Reisebüro Wächter
www.waechterreisen.de

• Kindergarten

• Spielplatz

• Schule

• Jugendherberge

• Bibliothek

b **Lesen Sie den Blog noch einmal. Was gibt es in Giesing? Was davon gibt es auch in Ihrem Heimatort / in Ihrem Stadtviertel? Notieren Sie.**

Giesing	Mein Heimatort
Läden, ...	

Spiel & Spaß

c **Was meinen Sie? Kreuzen Sie an oder schreiben Sie selbst etwas. Vergleichen Sie dann mit Ihrer Partnerin / Ihrem Partner.**

Marlene

1 ◯ kauft gern ein. ◯ findet Einkaufen nicht so wichtig.
2 ◯ liebt die Ruhe auf dem Land. ◯ lebt gern in der Stadt.
3 ◯ ist gern allein. ◯ ist gern unter Menschen.
4 ◯ hat Kinder. ◯ hat keine Kinder.
5 ◯ ____________ ◯ ____________

AB

5 Das gefällt mir.

a **Was bedeuten die markierten Wörter aus dem Blog? Ordnen Sie zu.**

1 Der Stadtteil gehört uns allen.
2 Das gefällt mir.
3 Ich danke dir.
4 Das hilft mir.

a Das ist wichtig für mich.
b Alle sind hier zu Hause und können sagen: „Das ist *mein* Viertel."
c Das finde ich gut.
d Vielen Dank für deine Hilfe!

b **Welche Personalpronomen stehen bei den markierten Wörtern? Ergänzen Sie.**

GRAMMATIK

Personalpronomen

Nominativ	ich	du	er/es/sie	wir	ihr	sie/Sie
Dativ Das gefällt	*mir*	______	ihm/ihm/ihr	______	euch	ihnen/Ihnen

auch so nach: gehören, danken, helfen ...

Spiel & Spaß

c **Urlaubsorte bewerten: Wem gefällt was? Arbeiten Sie auf Seite 163. Ihre Partnerin / Ihr Partner arbeitet auf Seite 167.**

6 Stadt und Natur

Arbeiten Sie zu zweit. Lesen Sie den Blog noch einmal und suchen Sie Wörter zu den beiden Themen.

In der Natur: Landschaft, Meer, Wald, ...
In der Stadt: Läden, ...

AB

Diktat

7 Was ist Ihr Lieblingsviertel?

Machen Sie Notizen und erzählen Sie dann im Kurs.

- Was gefällt Ihnen (nicht) an dem Viertel?
- Was gibt es in dem Viertel? Was fehlt?
- Was für Leute wohnen da?

Wien – Neubau
Es gibt: Kneipen, Museen, Läden ...

15 MINI-PROJEKT

Beruf

8 Wie gut kennen Sie die anderen aus Ihrem Kurs?

a Was möchten Sie von den anderen wissen? Machen Sie einen Fragebogen und tauschen Sie ihn mit einer anderen Person.

Beruf | Sprache | Hobby | Farbe | Obst | Computerspiel | Buch | Urlaubsort | …

1 Mein Lieblingsrestaurant: ____________________
2 Meine Lieblingsstadt: ____________________
3 Mein Lieblingsfilm: ____________________
4 Mein(e) ____________: ____________________
5 Mein(e) ____________: ____________________
6 ____________: ____________________
7 ____________: ____________________
8 ____________: ____________________

b Beantworten Sie die Fragen und notieren Sie Ihren Namen auf dem Fragebogen. Mischen Sie dann alle Fragebögen.

c Ziehen Sie einen Fragebogen und erzählen Sie. Die anderen raten: Von wem sind die Antworten?

Das Lieblingsrestaurant heißt „Cantina México". Die Lieblingsstadt ist …

Audiotraining

Karaoke

GRAMMATIK

Personalpronomen im Dativ	
Nominativ	**Dativ**
ich	mir
du	dir
er/es	ihm
sie	ihr
wir	uns
ihr	euch
sie/Sie	ihnen/Ihnen

Verben mit Dativ		
Das	gehört	mir.
Das	gefällt	dir.
Das	hilft	ihm.
Ich	danke	ihr.

KOMMUNIKATION

einen Ort bewerten
Was gefällt Ihnen/euch (nicht) an dem Viertel? Giesing ist ganz normal und das finde ich super so / ist schon okay. / Das finde ich gut. Aber so toll ist es nun auch wieder nicht.

nach Einrichtungen fragen und darauf antworten
Gibt es eigentlich auch ein Kino / … in …? In … gibt es leider nur sehr wenige Geschäfte / … Es gibt viele Kneipen und Restaurants.

Vom Seehaus bis zum Teehaus

Ein Spaziergang durch Ludgers Lieblingspark in München

Von Ludger Haring

Der Englische Garten in München ist mehr als 200 Jahre alt und er ist seit 1792 für alle Menschen geöffnet. Wir finden das heute ganz normal, aber im 18. Jahrhundert war es noch etwas Besonderes. So viel ‚Volksnähe' war in den meisten Ländern Europas nämlich noch nicht üblich.

Englischer ‚Garten'? Gärten sind ja meist ziemlich klein. Wir sprechen hier aber von einem Park mit mehr als vier Quadratkilometern Fläche. Und dieser Park liegt auch noch mitten in der Großstadt. Vom Stadtzentrum am Marienplatz sind es nur etwa 800 Meter und schon ist man im Grünen.
Ich möchte meinen Spaziergang aber woanders starten und fahre vom Marienplatz zuerst mal vier Stationen bis zur Haltestelle Münchner Freiheit. Von dort gehe ich dann in etwa zehn Minuten zu Fuß zum Kleinhesseloher See. Der Biergarten am Seehaus ist sehr schön, aber für eine Pause ist es noch ein bisschen zu früh. Also weiter.

Jetzt gehen wir noch etwa 800 Meter in Richtung Stadtmitte und kommen zum Japanischen Teehaus. Seit 1972 haben München und das japanische Sapporo eine Städtepartnerschaft. Das Teehaus ist ein Zeichen für die Freundschaft der beiden Olympiastädte.

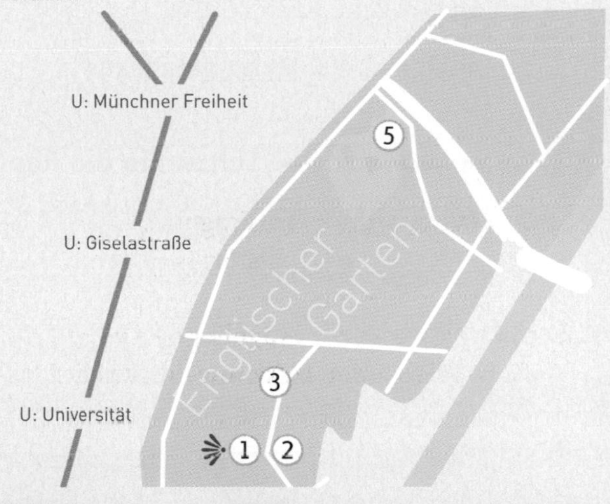

○ Monopteros

1 Blick vom Monopteros

○ Chinesischer Turm

○ Teehaus

○ Kleinhesseloher See

Nach einem Kilometer komme ich zum Chinesischen Turm. Den finde ich besonders toll. Er ist 25 Meter hoch und ganz aus Holz. Auch hier gibt es einen Biergarten. Er hat 7.000 Sitzplätze und ist bei Einheimischen und Touristen sehr beliebt. Manchmal spielt im Turm eine bayrische Blasmusik für die Gäste.

Noch einmal 300 Meter weiter kommen wir zu meinem Lieblingsplatz: zum Monopteros. Das ist ein griechischer Tempel auf einem Hügel. Von dort oben hat man einen super Blick auf die Frauenkirche und das Zentrum.

So, mein Spaziergang ist zu Ende. Wir haben noch nicht einmal 30 Prozent vom Englischen Garten gesehen. Aber sicher verstehen Sie schon jetzt: Er ist mein Lieblingspark in München.

1 Ludgers Spaziergang. Lesen Sie den Text, zeichnen Sie Ludgers Weg in die Karte ein und ordnen Sie die Bilder zu.

2 Und Sie? Haben Sie einen Lieblingspark oder einen Lieblingsplatz? Erzählen Sie.

▶ Clip 13 **1 Wo ist denn der Goetheplatz? – Sehen Sie den Film und sortieren Sie.**

- ◯ 200 Meter geradeaus
- ◯ an der nächsten Straße links und sofort wieder nach rechts
- ① 50 Meter geradeaus
- ◯ an der Ampel nach links
- ◯ und da ist der Goetheplatz
- ◯ an der Ecke nach rechts
- ◯ noch mal 400 Meter geradeaus

▶ Clip 14 **2 Superwohnung. – Sehen Sie die Reportage und beantworten Sie die Fragen.**

1 Was sagt Frau Möllemann?

a Wie ist der Flur?
nicht sehr groß, praktisch

b Wie ist der Blick aus der Küche?
____

c Wie findet sie das Wohnzimmer?
____

d Was kann man in dem Viertel gut machen?
____

e Wie schläft sie im Schlafzimmer?
____

2 Möchte Herr Waurich die Wohnung mieten?
Und Sie? Wie finden Sie die Wohnung?

▶ Clip 15 **3 Grüezi in Bern. – Was ist richtig? Sehen Sie die Reportage und kreuzen Sie an.**

a Bern hat
◯ 150.000 ◯ 130.000 ◯ 120.000 Einwohner.

b In Bern spricht man
◯ Hochdeutsch. ◯ Französisch. ◯ Berner Deutsch.

c Der Zytglogge (Zeitglockenturm) ist
◯ 500 ◯ 700 ◯ 800 Jahre alt.

d Im Berner Wappen sieht man
◯ einen Hund. ◯ einen Bären. ◯ ein „B“.

1 Lesen Sie Jans Blog und kreuzen Sie an: richtig oder falsch?

JANS BLOG *Hamburg – das Tor zur Welt*

Meine Lieblingsstadt ist Hamburg. Ich bin oft dort und besuche Freunde. Die Stadt hat 1,8 Millionen Einwohner und liegt in Norddeutschland an der Elbe. In Hamburg gibt es alles: Kunst und Kultur, Restaurants und Bars, Läden und Geschäfte – und viel Wasser.

Ihr wollt Hamburg besuchen? Das müsst Ihr sehen:

1 Hamburg am Wasser
Besonders spannend sind der Hafen mit den Containerschiffen aus der ganzen Welt und die Speicherstadt. Dort lagern Waren von den Schiffen: Kaffee, Tee, Gewürze, Kakao, elektronische Produkte, Teppiche und vieles mehr. Aber es gibt auch Museen, Ausstellungen, Lesungen und Theateraufführungen.

2 Hamburg von oben
Die Kirche St. Michaelis (die Hamburger nennen sie „Michel") ist das Wahrzeichen von Hamburg. Der Blick vom Kirchturm (132 Meter hoch!) auf die Stadt und den Hafen ist einfach toll!

3 Hamburg am Abend
Natürlich gibt es in Hamburg überall viele Kneipen. Besonders gern mag ich aber die Atmosphäre am Großneumarkt, das ist ein Platz in der Hamburger Neustadt mit Kneipen, Cafés und Restaurants. Vielleicht sehen wir uns irgendwann mal?

Ewa aus Krakau
Danke für die Tipps, Jan! Dein Blog gefällt mir gut. Hamburg kenne ich noch nicht, aber jetzt möchte ich unbedingt hin und den Hafen sehen. *Antworten*

		richtig	falsch
a	Hamburg liegt an der Nordsee.	○	○
b	Jan lebt in Hamburg.	○	○
c	Die Speicherstadt ist das Wahrzeichen von Hamburg.	○	○
d	In der Speicherstadt gibt es keine kulturellen Veranstaltungen.	○	○
e	Vom Michel hat man einen sehr schönen Blick auf die Stadt.	○	○
f	Am Abend geht Jan gern zum Großneumarkt.	○	○

2 Unsere Lieblingsstadt

a Arbeiten Sie zu zweit: Wählen Sie Ihre Lieblingsstadt und machen Sie Notizen zu den Fragen:

1 Wo ist die Stadt und wie groß ist sie?
2 Wie oft sind/waren Sie dort?
3 Welche drei Sehenswürdigkeiten/Plätze/... gefallen Ihnen besonders gut?

b Schreiben Sie einen Blog wie in 1. Suchen Sie auch passende Fotos im Internet.

c Lesen Sie die Blogs der anderen Kursteilnehmer und schreiben Sie einen Kommentar dazu.

ICH FINDE ES HIER SUPER!

1 Ich finde es hier super. Der Ort ist sehr schön.
Wir haben ein Zimmer mit Blick aufs Meer.
Das Essen ist gut. Die Leute sind nett.
Ich liebe diese Landschaft. Hier gefällt es mir sehr.

Und wie findest du es hier? Ist es nicht toll, hm?

Nein, es gefällt mir nicht.
Komm jetzt, ich möchte gehen.

Was? Es gefällt dir nicht?
Ich kann das nicht verstehen.

2 Ich liebe die Geschäfte in der Friedrichstraße.
Ruf' uns mal ein Taxi! Da fahren wir jetzt hin.
Ich glaube, ein Friseur ist da auch gleich um die Ecke.
Ach, mein Schatz, ich finde es so super in Berlin.

Und du, Schnucki? Findest du es auch so schön hier?

Die Stadt gefällt mir nicht.
Ich möchte sie nicht sehen.

Berlin gefällt dir nicht?
Ich kann das nicht verstehen.

▶3 13 **1 Suchen Sie sich eine Partnerin / einen Partner.**
Hören Sie die Musik und lernen Sie die Tanzschritte.

nach links

nach rechts

nach vorne

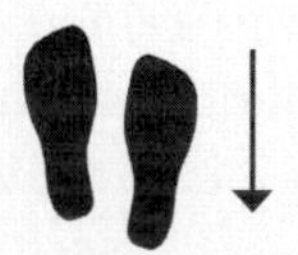
nach hinten

▶3 14 **2 Hören Sie das Lied und lesen Sie den Text.**

a Entscheiden Sie: Wer von Ihnen ist lieber am Meer (Strophe 1)? Wer lieber in der Stadt (Strophe 2)?

b Lesen Sie den Liedtext zu zweit laut vor. Betonen Sie dabei, was Ihnen gefällt und was nicht.

▶3 14 **3 Hören Sie das Lied noch einmal und singen oder tanzen Sie mit.**

Wir haben hier ein Problem. 16

Hören/Sprechen: Hilfe anbieten: *Was kann ich für Sie tun?*; um Hilfe bitten: *Die Heizung funktioniert nicht.*; auf Entschuldigungen reagieren: *Kein Problem.*

Lesen/Schreiben: E-Mail: Termine vereinbaren und verschieben

Wortfeld: im Hotel

Grammatik: temporale Präpositionen *vor, nach, in, für*

1 Was war denn das jetzt?

▶ 3 15 **a Sehen Sie das Foto an und hören Sie. Wer sind die Personen? Wo sind sie? Was ist das Problem? Erzählen Sie.**

Gäste | Kollegen | Geschwister | … im Hotel | in einer Firma | …
Aufzug steckt fest | funktioniert nicht | …

b Mit wem möchten Sie im Aufzug stecken bleiben? Warum?

Mit George Clooney / … Den/Die möchte ich gern kennenlernen. …

2 Wie geht die Geschichte jetzt weiter? Was meinen Sie?

a Was machen die beiden jetzt? ○ Sie warten. ○ Sie rufen Hilfe. ○ ______________
b Wie geht es den Personen? ○ Sie sind genervt. ○ Sie haben Angst. ○ ______________

● Aufzug ● Klimaanlage ● Heizung ● Fernseher ● Radio ● Internetverbindung ● Licht ● Seife

▶3 16 **3 Was ist richtig? Hören Sie das Gespräch weiter und kreuzen Sie an.**

a Die Hotelgäste ○ tun nichts und warten. ○ rufen Hilfe.
b ○ Der Techniker ○ Nur die Aufzugfirma kann den Aufzug reparieren.
c Die Aufzugfirma kommt ○ in einer Stunde. ○ in einer halben Stunde.
d Der Techniker macht ○ nur die Klimaanlage und das Licht ○ die Klimaanlage, das Licht und die Musik aus.

AB **4 Was kann ich für Sie tun?**

▶3 16 **a Welche Sätze hören Sie im Gespräch? Hören Sie noch einmal und markieren Sie.**

noch einmal?

Entschuldigen Sie, die Heizung funktioniert nicht. Können Sie einen Techniker schicken? | Was kann ich für Sie tun? | Wir haben ein Problem hier: Der Aufzug steckt fest. | Ich kümmere mich sofort darum. | Wir brauchen Ihre Hilfe. Der Fernseher ist kaputt. | Ich komme sofort. | Ich kann das nicht selbst reparieren. Tut mir leid, das kann wohl nur die Aufzugfirma machen. | Kann ich Ihnen helfen? | Entschuldigung, können Sie mir helfen? | Eine Bitte noch: Können Sie die Klimaanlage ausmachen? Es ist sehr kalt hier.

Film

b Ordnen Sie die Sätze aus a zu.

um Hilfe bitten	Hilfe anbieten / auf Bitten reagieren
Entschuldigen Sie, die Heizung funktioniert nicht. Können ...	Ich kann das nicht selbst reparieren. Tut mir leid, das kann wohl nur die ...

AB **5 Was ist Ihnen im Hotel nicht so wichtig?**

Spiel & Spaß

a Machen Sie eine Liste mit fünf Dingen. Hilfe finden Sie im Bildlexikon.

b Vergleichen Sie mit Ihrer Partnerin / Ihrem Partner.

Diktat

Ich	Meine Partnerin / Mein Partner
1 Telefon	Klimaanlage
2 Fernseher	
3 ...	
4 ...	
5 ...	

Ein Telefon finde ich nicht so wichtig. Ich nehme ja mein Handy immer mit.

AB **6 Rollenspiel: im Hotel um Hilfe bitten. Arbeiten Sie zu zweit auf Seite 168.**

Spiel & Spaß

AB **7** **Termine**

a Überfliegen Sie die E-Mails. Was ist das Thema?

Termine absagen/verschieben: A
Termin vereinbaren: ____

Ⓐ

Hallo Martin,

leider kann ich heute Abend doch nicht kommen. Ich hatte Probleme mit dem Internet. Ich habe also leider heute noch gar nicht gearbeitet ☹. Das muss ich nun heute Abend machen. Können wir den Termin verschieben? Von Mittwoch bis Freitag bin ich auf Geschäftsreise und ab Montag bin ich für eine Woche im Urlaub. Passt es Dir am Wochenende?

Liebe Grüße Julia

Ⓑ

Lieber Fred, ich gehe am Dienstag nach der Uni doch nicht zu Massimo. Wir können also vor dem Tanzkurs noch zusammen essen. Vielleicht so um 18.30 Uhr? Hast Du Lust?

LG Petra

Ⓒ

Sehr geehrte Frau Wegele,

ich stecke im Aufzug fest und schaffe es nicht pünktlich zur Sitzung. In einer halben Stunde kommt der Techniker. Ich kann wahrscheinlich erst um 16.30 Uhr bei Herrn Feldmann sein. Sagen Sie ihm bitte Bescheid?
Mit freundlichen Grüßen

Gina Wallner

b Lesen Sie die E-Mails noch einmal und korrigieren Sie die Sätze.

Ⓐ 1 Julia möchte den Termin mit Martin ~~morgen~~ verschieben. heute
2 Sie möchte Martin am Freitag treffen.

Ⓑ 1 Petra geht am Dienstag zu Massimo.
2 Sie möchte mit Fred um 18.30 Uhr tanzen gehen.

Ⓒ 1 Frau Wegele ist im Aufzug.
2 Frau Wallner kommt pünktlich zur Sitzung mit Herrn Feldmann.

c Markieren Sie *für*, *nach*, *vor* und *in* in den E-Mails und ergänzen Sie.

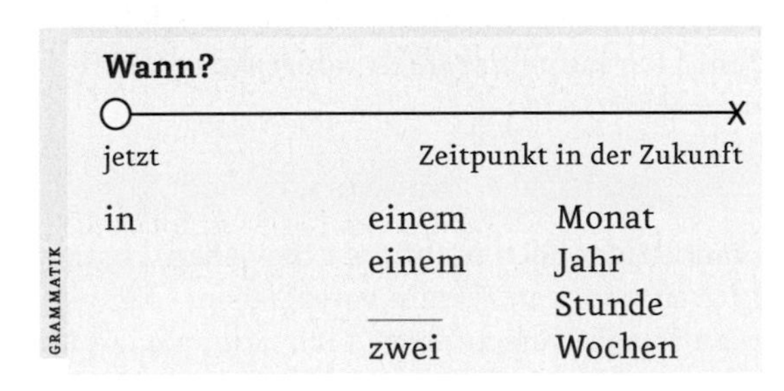

GRAMMATIK

Wann?

O————————————X
jetzt — Zeitpunkt in der Zukunft

in	einem	Monat
	einem	Jahr
	____	Stunde
	zwei	Wochen

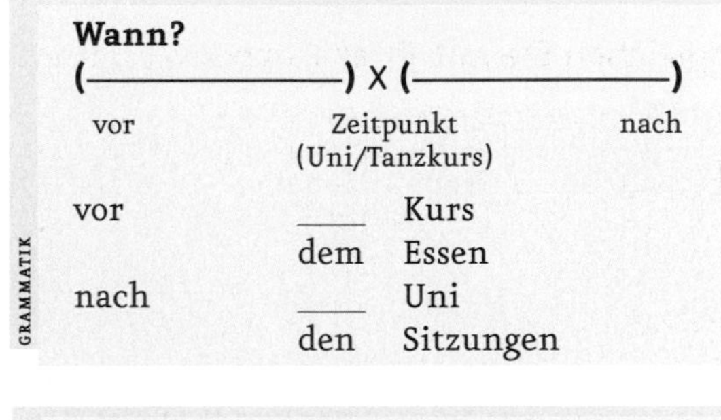

GRAMMATIK

Wann?

(————————) X (————————)
vor — Zeitpunkt (Uni/Tanzkurs) — nach

vor	____	Kurs
	dem	Essen
nach	____	Uni
	den	Sitzungen

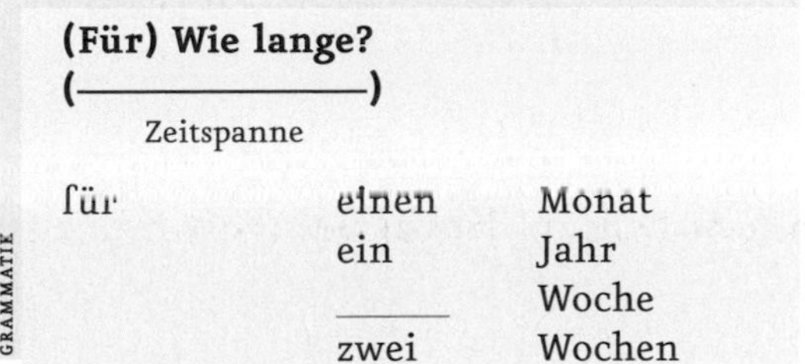

GRAMMATIK

(Für) Wie lange?

(————————)
Zeitspanne

für	einen	Monat
	ein	Jahr
	____	Woche
	zwei	Wochen

AB **8** **Einen Termin verschieben**
Beruf
Arbeiten Sie zu zweit auf Seite 169.

SPRECHTRAINING

9 Sie sind zum Essen eingeladen und kommen eine halbe Stunde zu spät.

a Schreiben Sie drei Entschuldigungen.

Tut mir leid, ich bin im Aufzug stecken geblieben.
Entschuldigung, ich habe deine Straße nicht gefunden. Mein Navi funktioniert nicht.
Tut mir leid, meine Uhr ist kaputt.

b Auf Entschuldigungen reagieren. Was passt? Ordnen Sie zu.

Sie glauben die Entschuldigung:

Sie finden die Entschuldigung okay: — Schade. / Wie dumm! Jetzt ist das Essen kalt.

Sie glauben die Entschuldigung nicht:

Seltsam! Jetzt funktioniert deine Uhr / dein ... doch. / Ach, wirklich?

Ach, das macht doch nichts. / Kein Problem!

c Arbeiten Sie zu viert. Wer bekommt die meisten Punkte?

Sie kommen zu spät und entschuldigen sich. Die anderen reagieren: Wie finden sie Ihre Entschuldigung: sehr gut (4 Punkte), okay (2 Punkte) oder nicht gut (0 Punkte)?

▲ Tut mir leid, meine Uhr ist kaputt.
● Wie dumm!
■ Ach, wirklich?

GRAMMATIK

temporale Präpositionen vor, nach, in + Dativ			
	Wann?		
•	vor/nach/in	einem	Monat
•		einem	Jahr
•		einer	Stunde
•		zwei	Wochen

temporale Präposition für + Akkusativ			
	(Für) Wie lange?		
•	für	einen	Tag
•		ein	Jahr
•		eine	Woche
•		zwei	Wochen

KOMMUNIKATION

um Hilfe bitten

Entschuldigung, können Sie mir helfen? | Wir haben ein Problem. Wir brauchen Ihre Hilfe. | Eine Bitte noch: Können Sie ...? | ... ist kaputt / funktioniert nicht. | Es gibt kein/e/en ...

Hilfe anbieten / auf Bitten reagieren

Was kann ich für Sie tun? | (Wie) Kann ich Ihnen helfen? | Ich kümmere mich sofort darum. | Ich komme sofort.

Termine vereinbaren und verschieben

Ich kann leider doch nicht ins Kino gehen/kommen ... | Ich möchte den Termin verschieben. | Können wir den Termin verschieben? | Ich kann am ... | Am ... habe ich Zeit. | Passt dir das? | Passt es dir am ...? | Wollen wir am ... ins Kino gehen? | Hast du Lust?

auf Entschuldigungen reagieren

Kein Problem! | Das macht doch nichts.
Schade. | Wie dumm!
Seltsam. | Ach, wirklich?

Audiotraining | Karaoke

Wer will Popstar werden? 17

Sprechen: Wünsche äußern und über Pläne sprechen: *Ich will unbedingt noch Schauspielerin werden.*
Lesen: Zeitungstext
Schreiben: kreatives Schreiben
Wortfelder: Pläne und Wünsche
Grammatik: Präpositionen *mit/ohne*; Modalverb *wollen*

▶ 3 17 **1 Sehen Sie das Foto an und hören Sie. Welche Anzeige passt? Was meinen Sie?**

interessant?

① **Die Internationale Pop-Akademie (IPA)**
Du möchtest Popstar werden?
Melde dich jetzt an!

② **DSDS – die Castingshow**
Auch im nächsten Jahr sucht Deutschland den Superstar!
Du möchtest ins Fernsehen – dann bewirb dich jetzt für das Casting!

③ **Staatlich anerkannte Schule für Schauspielkunst**
Aufnahmeprüfung: 15.7.

2 Auf welche Anzeige würden Sie sich bewerben?

- ■ Anzeige … klingt interessant. Ich singe gern.
- ▲ Ich finde Anzeige … interessant. Ich möchte gern ins Fernsehen / zum Theater.

ein Buch schreiben

Chef werden

Schauspieler werden

Politiker werden

Geld verdienen

heiraten

eine große Familie haben

auf einen Berg steig

AB **3** **Wer will Popstar werden?**

a **Was passt? Finden Sie die passenden Ausdrücke und notieren Sie. Wie heißen sie in Ihrer Sprache?**

1 eine Anzeige

4 einen Studienplatz

3 die Aufnahmeprüfung

2 sich an einer Schule

5 eine Berufsausbildung

abschließen

anmelden

schaffen

bekommen

lesen

1 eine Anzeige lesen: ...

b **Lesen Sie den Textanfang und kreuzen Sie an.**

	richtig	falsch
1 Die IPA hat fast 300 Studienplätze.	○	○
2 Auf der Akademie kann man nur Komponieren, Singen und Tanzen studieren.	○	○
3 Cherry, Fabian und Lisa haben die Ausbildung abgeschlossen.	○	○
4 Die Ausbildung dauert drei Jahre.	○	○

POPSTAR

HALLO! WER WILL POPSTAR WERDEN?

289 junge Leute haben sich in diesem Jahr angemeldet – aber nur 12 von ihnen können einen Studienplatz an der Internationalen Pop-Akademie (IPA) bekommen. Als Studenten können sie in drei Jahren Komponieren, Singen und Tanzen lernen. Und sie bekommen Antworten auf viele andere wichtige Fragen, wie zum Beispiel: „Musikproduktion – Was ist wirklich wichtig?", „Wie verkaufe ich mich?", „Was kann ich für mein Image tun?" oder „PR – wie arbeitet man richtig mit Internet, Radio, Fernsehen und Zeitungen?" Für Cherry, Fabian und Lisa ist das alles aber noch nicht so wichtig. Für sie zählt heute nur eine Frage: „Schaffe ich die Aufnahmeprüfung?"

c **Lesen Sie nun den Text auf Seite 97 weiter. Wer sagt das? Kreuzen Sie an.**

	Fabian	Cherry	Lisa
1 Ich schreibe meine Lieder selbst.	○	○	○
2 Singen und Tanzen sind sehr wichtig.	○	○	○
3 Ich finde eine Berufsausbildung wichtig.	○	○	○
4 Ich möchte viel Geld verdienen.	○	○	○
5 Meine „Starbrille" bringt mir Glück.	○	○	○
6 Ich singe nur auf Deutsch.	○	○	○

n Europa reisen | um die Welt segeln | im Ausland leben | Motorrad fahren | den Führerschein machen | ein (Musik)Instrument lernen | viele Fremdsprachen lernen

Eine Frage: Warum wollen Sie hier studieren?

Cherry (18)

„Ich will Sängerin werden. Klar, ich kann das alles auch ohne Schule und ohne Lehrer machen. Aber mit einer Berufsausbildung habe ich einfach bessere Chancen, denke ich. Hier, sehen Sie mal: Das ist meine ‚Starbrille'. Ich weiß, sie bringt mir heute Glück."

Fabian (21)

„Ich will Liedermacher werden. Die meisten Leute sagen ja ‚Singer-Songwriter', aber ich texte und singe nur in meiner Muttersprache Deutsch. Also sage ich natürlich: ‚Liedermacher'. Ich gehe jetzt mit meiner Gitarre in das Zimmer da und singe ein Lied. Es ist von mir und es gefällt mir sehr gut. Naja, mal sehen."

Lisa (24)

„Ich war schon auf zwei anderen Musikschulen. Aber dort habe ich nicht sehr viel gelernt. Jetzt will ich schnell Profi werden, verstehen Sie? Ich bin ja schon 24 und möchte bald mal richtig Geld verdienen. Für mich sind Singen und Tanzen besonders wichtig. Ein bisschen Angst habe ich jetzt schon!"

AB **4** ***mit* oder *ohne*?**

Spiel & Spaß

a Welche Sätze sind richtig? Kreuzen Sie an.

1 Cherry glaubt, sie hat auch ohne eine Berufsausbildung sehr gute Chancen. ○
2 Cherry geht mit ihrer Starbrille in die Prüfung. ○
3 Fabian geht ohne seine Gitarre in das Prüfungszimmer. ○
4 Lisa geht ohne Angst in die Prüfung. ○

GRAMMATIK
ohne + Akkusativ
ohne die/eine Gitarre
mit + Dativ
mit der/einer Gitarre

b Was nehmen Sie in den Urlaub mit: *mit* oder *ohne* …? Arbeiten Sie auf Seite 170.

AB **5** **Ergänzen Sie *wollen* in der richtigen Form.**

Beruf

a Cherry, Fabian und Lisa __________ an der IPA studieren.
b Cherry __________ Sängerin werden.
c Fabian sagt: „Ich __________ Liedermacher werden."
d Und Sie? Was __________ Sie werden?

INFO

	werden
ich	werde
du	wirst
er/sie	wird

GRAMMATIK

	wollen
ich	will
du	willst
er/sie	will
wir	wollen
ihr	wollt
sie/Sie	wollen

GRAMMATIK
Ich **will** Liedermacher **werden**.

AB **6** **Was wollen Sie in Ihrem Leben noch/nicht machen? Erzählen Sie im Kurs.**

Spiel & Spaß

a Notieren Sie. Hilfe finden Sie auch im Bildlexikon.

Das will ich unbedingt (noch) machen: ______________________
Das will ich vielleicht (noch) machen: ______________________
Das will ich auf keinen Fall (noch) machen: ______________________

Diktat

b Über Wünsche und Pläne sprechen: Arbeiten Sie auf Seite 172.

7 Kreatives Schreiben: Gedichte mit 11 Wörtern

a Lesen Sie die „Elfchen"-Gedichte und die Anleitung.

Laufen
am Mittwoch
im Park
nie ohne meine Freundin
fit sein

1. Zeile: Was? Nennen Sie die Aktivität. (1 Wort)
2. Zeile: Wann? Nennen Sie den Zeitpunkt. (2 Wörter)
3. Zeile: Wo oder was? Nennen Sie den Ort oder den Gegenstand. (2 Wörter)
4. Zeile: Wie machen Sie das? Schreiben Sie *mit* oder *ohne*. (4 Wörter)
5. Zeile: Schreiben Sie zwei Wörter zum Abschluss. (2 Wörter)

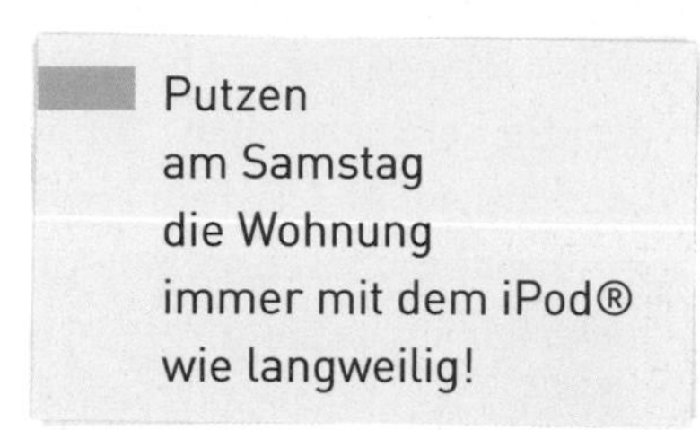
Putzen
am Samstag
die Wohnung
immer mit dem iPod®
wie langweilig!

Fernsehen
am Sonntag
bei Silvia
immer mit den Nachbarn
so gemütlich!

b Schreiben Sie nun selbst ein Gedicht wie in a und lesen Sie es dann vor.

Audiotraining | Karaoke

GRAMMATIK

Präpositionen *mit* und *ohne*		
ohne	+ Akkusativ	ohne das/mein Handy
mit	+ Dativ	mit dem/meinem Handy

Modalverb *wollen*	
ich	will
du	willst
er/es/sie	will
wir	wollen
ihr	wollt
sie/Sie	wollen

Modalverben im Satz
Ich **will** Liedermacher **werden**.

KOMMUNIKATION

Wünsche äußern / über Pläne sprechen
Ich will unbedingt noch / vielleicht / auf keinen Fall ... Ich will ... werden. Ich möchte (bald) ... Für mich sind ... und ... besonders wichtig.

Geben Sie ihm doch diesen Tee! 18

Hören/Sprechen: Schmerzen beschreiben: *Mein Kopf tut weh.*; Ratschläge geben: *Sie sagt, du sollst im Bett bleiben. / Bleiben Sie doch im Bett!*; über Krankheiten sprechen: *Gegen Bauchschmerzen trinke ich ...*

Lesen: Ratgeber

Wortfeld: Körperteile

Grammatik: Imperativ *(Sie)*: *Gehen Sie zum Arzt!*; Modalverb *sollen*

1 Hallo, Schwester Angelika!

a Was sehen Sie auf dem Foto?

Man sieht eine Nonne. Sie ...

Nonne | Kräuter | Blumen | ...

▶ 3 18 **b Was ist richtig? Hören Sie und kreuzen Sie an.**

1 Frau Brehm ist krank. ○
2 Herr Brehm hat seit zwei Tagen Kopfschmerzen. ○
3 Schwester Angelika sagt, Herr Brehm soll zum Arzt gehen. ○

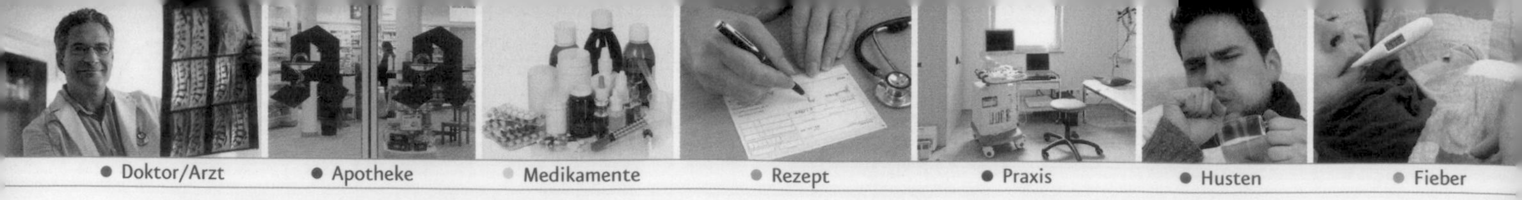

▶ 3 19-20 AB

2 Was hat er denn?

a **Welches Foto passt? Hören Sie zwei Gespräche und ordnen Sie zu.**

○ 

○ 

noch einmal?

b **Hören Sie noch einmal und kreuzen Sie an.**

1 Herr Brehm hat ○ keine ○ auch Schmerzen in den Armen und Beinen.
2 Das Fieber ist ○ sehr ○ nicht sehr hoch.
3 Herr Brehm hustet ○ gar nicht. ○ sehr viel.

4 Sein Kopf tut ○ immer noch ○ nicht mehr weh.
5 Das Fieber ist ○ immer noch ○ nicht mehr hoch.
6 Herr Brehm ○ macht einen Tee. ○ bleibt im Bett.

AB

3 Geben Sie ihm doch diesen Tee!

Spiel & Spaß

a **Ergänzen Sie.**

Welche Ratschläge gibt Schwester Angelika den Leuten?

■ *Geben Sie ihm doch diesen Tee!*
(Sie – ihm – diesen Tee – doch – geben)

■ *Trinken Sie* ____________________!
(Sie – trinken – viel)

■ ____________________!
(Sie – zum Arzt – gehen)

GRAMMATIK
Imperativ
Trinken Sie (doch) ...!
Gehen Sie (doch) ...!

Was hat Schwester Angelika gesagt?

▲ *Schwester Angelika sagt, du sollst diesen Tee trinken.*

▲ *Schwester Angelika sagt, ich soll* ____________________.

▲ *Schwester Angelika sagt, ich* ____________________.

GRAMMATIK

	sollen
ich	soll
du	sollst
er/sie	soll
wir	sollen
ihr	sollt
sie/Sie	sollen

GRAMMATIK
Du sollst diesen Tee trinken.

Spiel & Spaß

b **Gesundheits-Forum: Ratschläge geben. Arbeiten Sie zu zweit auf Seite 173.**

● Schnupfen ● Schmerzen ● Tablette ● Salbe ● Pflaster

AB **4** **Wie heißen die Körperteile? Ergänzen Sie.**

● Kopf | ● Hals | ● Rücken | ● Brust | ● Bauch | ● Arm | ● Hand | ● Finger | ● Bein | ● Fuß | ● Knie | ● Ohr | ● Auge | ● Zahn | ● Nase | ● Mund

1: Kopf,

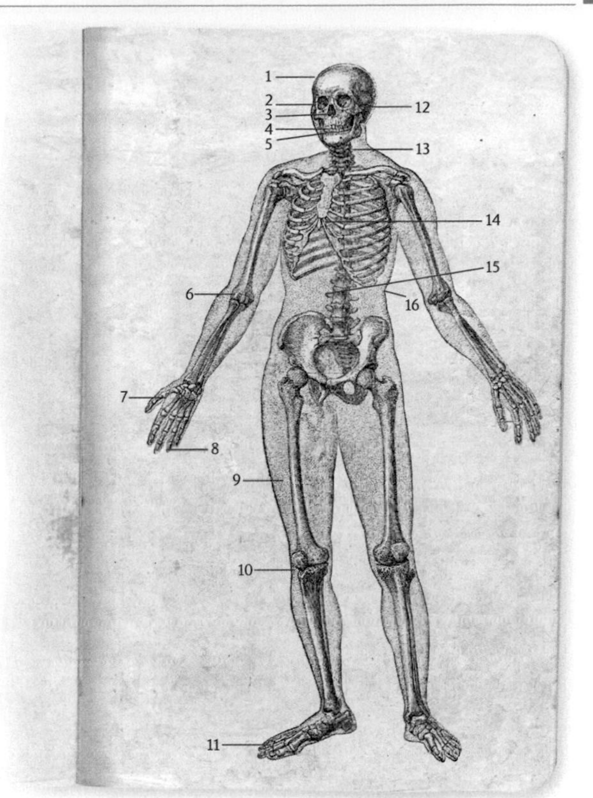

AB **5** **Nehmen Sie doch mal Heilkräuter!**

interessant?

a **Lesen Sie den Ratgebertext und beantworten Sie die Fragen.**

1 Was ist Naturmedizin?
zum Beispiel Heilkräuter

2 Was hilft gegen Halsschmerzen?
____

3 Sie möchten etwas über Heilkräuter lernen. Was können Sie tun?
____

Klosterladen Bieberach

Heil- und Küchenkräuter, Kosmetika, Klosterliköre und Spirituosen

Gutes und Feines selbst gemacht aus unserem Kloster

Ein guter Rat von Schwester Angelika Böhmer: ***Nehmen Sie doch mal Heilkräuter!***
Kopfschmerzen? Schnupfen und Fieber? Husten? Schmerzen in Armen oder Beinen? Natürlich können Sie mit jedem Problem sofort zum Arzt gehen (und bei manchen Krankheiten sollen Sie das auch wirklich tun!). Aber oft kann Ihnen auch die Naturmedizin mit ihren vielen Heilkräutern helfen. Zum Beispiel mit Salbei. Salbei hilft sehr gut gegen Halsschmerzen. Oder Baldrian: Das ist gut bei Kopf- oder Bauchschmerzen.
Wollen Sie mehr über Heilkräuter wissen? Dann lesen Sie das Buch „Heilen mit der Natur" von Schwester Angelika Böhmer. Erschienen im Kloster-Verlag Bieberach. 14,95 €

Beruf

b **Es geht Ihnen nicht gut. Was machen Sie? Erzählen Sie. Hilfe finden Sie auch im Bildlexikon.**

Bauchschmerzen | Fieber | Schnupfen | Kopfschmerzen | Husten | …

■ Ich finde Naturmedizin gut. Gegen Bauchschmerzen trinke ich Kamillentee. Das hilft.
▲ Ich glaube nicht an Naturmedizin. Ich nehme eine Tablette oder gehe zum Arzt.
● Ich trinke Kräutertee gegen Fieber. Was machst du gegen Fieber?
■ Ich …

KOMMUNIKATION
Was machst du gegen …?
Was hilft gegen …?
Ich nehme/trinke/gehe/bleibe …
Das hilft.

AB **6** **Umfrage im Kurs: Wie gesund lebst du?**
Arbeiten Sie zu dritt auf Seite 165.

Diktat

SPIEL

7 Fantasiefiguren

Film

a Arbeiten Sie zu dritt. Zeichnen Sie eine Fantasiefigur. Beschreiben Sie Ihre Figur, Ihre Partner zeichnen mit.

Meine Figur ist eine Frau. Der Kopf ist sehr groß. Sie hat drei Augen. Die Augen sind sehr groß. Der Mund ist über den Augen. Er ist sehr klein. Ihre Haare sind …

b Machen Sie eine Ausstellung. Welche drei Zeichnungen passen zusammen?

■ Ich glaube, die beiden Zeichnungen passen zusammen.
▲ Nein, die Figur hat drei Arme und die hat vier. Ich glaube …

Audiotraining

Karaoke

GRAMMATIK

Modalverb *sollen*	
ich	soll
du	sollst
er/es/sie	soll
wir	sollen
ihr	sollt
sie/Sie	sollen

Modalverben im Satz
Du sollst diesen Tee trinken.

Imperativ (*Sie*)
Trinken Sie viel!
Gehen Sie zum Arzt!

Verwendung von Imperativ und *sollen*	
direkt:	Schwester Angelika: „Geben Sie ihm diesen Tee!“
indirekt:	Schwester Angelika sagt, ich soll dir diesen Tee geben.

KOMMUNIKATION

Schmerzen beschreiben
Mein Kopf / Meine … tut/tun weh. Ich habe Halsschmerzen.

um Hilfe/Rat bitten
Haben Sie etwas für mich? Wer kann mir helfen? Wer hat einen Tipp für mich?

Ratschläge geben
Trinken Sie viel! Geben Sie ihm doch diesen Tee! Dann soll er Sport machen.

über Krankheiten sprechen
Was machst du gegen …? Was hilft gegen …? Ich nehme/trinke/gehe/bleibe … Das hilft.

Sehr geehrte Damen und Herren,

ich möchte mich bei Ihnen beschweren.

Vor einer Woche habe ich online Ihre Software MigaFlex Ultra 1.02 gekauft. Auf Ihrer Internet-Seite versprechen Sie: „MigaFlex Ultra 1.02 läuft auf allen Betriebssystemen. MigaFlex Ultra 1.02 einfach installieren und problemlos nutzen. Bei Fragen hilft unsere MigaFlex-24h-Telefon-Hotline." So weit Ihre Versprechen.

Und so sieht die Wirklichkeit aus:
Ich habe MigaFlex Ultra 1.02 auf meinem Computer installiert und nun läuft er nur noch ganz langsam. Die Software arbeitet auch nicht richtig und das Online-Handbuch kann kein Mensch verstehen.

Aber das ist noch gar nichts gegen Ihre Telefon-Hotline! Ich habe sie heute Vormittag um 10 Uhr angerufen. Ihre Mitarbeiterin hatte gerade keine Zeit und hat versprochen: „Wir rufen vor 12 Uhr zurück." Um 12:15 Uhr habe ich es dann noch einmal versucht. Da hieß es auf dem Anrufbeantworter: „Bitte rufen Sie nach 13 Uhr an, unsere Sachbearbeiter sind in der Mittagspause." Also habe ich um 13:10 Uhr noch einmal angerufen, ohne Erfolg. Genau das Gleiche dann um 13:30 Uhr, um 14 Uhr und um 15:45 Uhr. Um 16:05 Uhr war dann ein Mann am Apparat und sagt: „Tut mir leid, es ist schon nach 16 Uhr, die Service-Abteilung ist geschlossen. Rufen Sie morgen wieder an!"

Ich habe also heute 47 Minuten lang mit Ihrer Firma telefoniert (und davon sicher 44 Minuten lang nur gewartet). Für diesen ‚Service' berechnen Sie 49 Cent pro Minute. Das macht zusammen 23,03 €.

Für Ihre Software habe ich 199 Euro bezahlt. Ich will auf keinen Fall noch mehr Geld verlieren. Ich werde MigaFlex Ultra 1.02 deshalb heute deinstallieren und von meinem Computer löschen. Überweisen Sie mir bitte bis zum Monatsende den Kaufpreis und die Telefonkosten zurück. Zusammen sind das 222,03 €.

Tun Sie dies nicht, werde ich die Sache an meinen Anwalt weitergeben.

Mit freundlichen Grüßen
Alina Kanzler

1 Was ist richtig? Lesen Sie und kreuzen Sie an.

a Die Firma verspricht: MigaFlex Ultra 1.02 können die Kunden ohne Probleme nutzen. ○
b Alina Kanzler hat Probleme mit der Software. ○
c An der Telefon-Hotline beantwortet eine Mitarbeiterin Alinas Fragen zu der Software. ○
d Alina Kanzler möchte die Software nicht mehr haben und schickt der Firma eine Rechnung über 222,03 €. ○
e Alina hat die Sache schon an ihren Anwalt gegeben. ○

2 Und Sie? Haben Sie schon einmal etwas online gekauft und hatten dann Probleme mit dem Produkt? Erzählen Sie.

▶ Clip 16

1 Was kann ich für Sie tun? – Sehen Sie den Film und ergänzen Sie.

a Alfons Brunner ist ______________ Jahre alt.
b Nach der Schule hat er Elektroinstallateur __________.
c Seit ______________ Jahren arbeitet Herr Brunner als Hausmeister bei der Firma.
d Er kümmert sich um die ______________, das Wasser und den Strom.
e Er repariert ______________ und Türen.
f Er schneidet ______________, Büsche und Hecken.
g Er arbeitet von ______________ bis ______________ immer von ______________ bis ______________. Von ______________ bis ______________ hat er Mittagspause.
h Die Arbeit macht ihm ______________.

▶ Clip 17

2 Ich will ... – Sehen Sie die Reportage. Welchen Wunsch finden Sie gut, welchen finden Sie nicht gut?

	👍	👎
auf keinen Fall dick werden	○	○
endlich wieder ohne Krücken gehen	○	○
Karriere machen	○	○
ein Fest nur für Frauen machen	○	○
nicht wie meine Mutter werden	○	○
wenig arbeiten und viel Geld verdienen	○	○
mit dem Zug durch Europa fahren	○	○
Model werden	○	○
Tierärztin werden	○	○

Und welchen Wunsch haben Sie? ______________________________

▶ Clip 18

3 Das tut mir gut. – Sehen Sie die Reportage und ordnen Sie zu.

a Ich gehe
b Ich laufe
c Ich arbeite
d Von morgens bis abends sitze ich
e Man soll
f Joggen ist
g Es ist

für mich nicht nur Sport.
nicht sehr schnell.
am Computer.
auch Meditation.
in einer Elektronikfirma hier in Wien.
zwei oder drei Mal pro Woche joggen.
viel Sport machen.

1 **Lesen Sie den Text. Kennen Sie solche Wunschbäume? Erzählen Sie.**

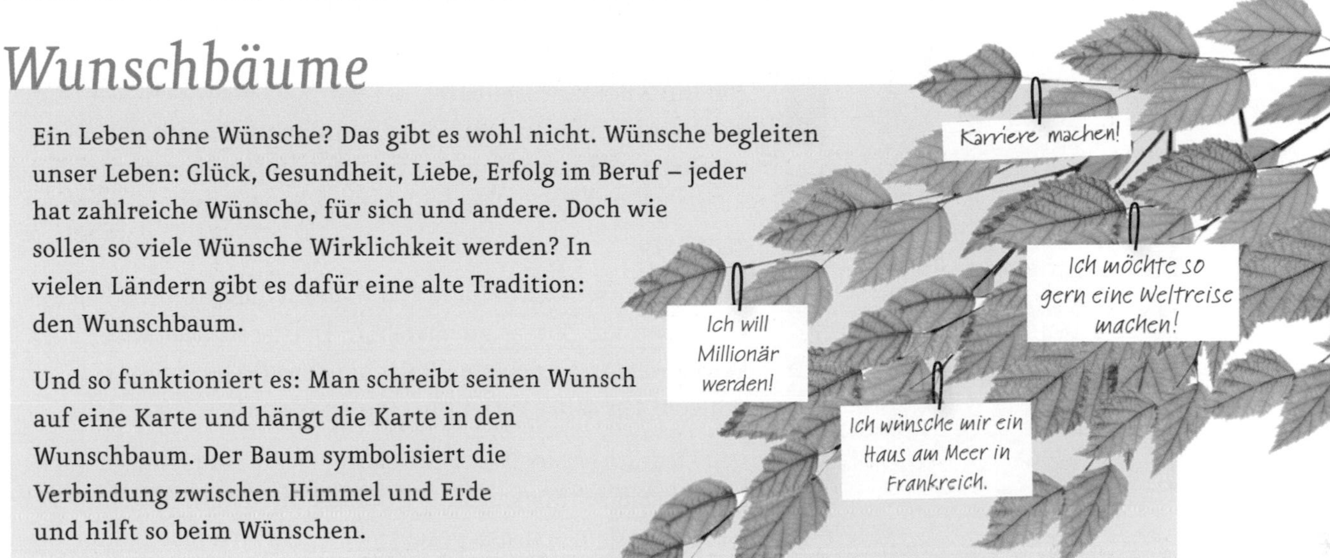

Wunschbäume

Ein Leben ohne Wünsche? Das gibt es wohl nicht. Wünsche begleiten unser Leben: Glück, Gesundheit, Liebe, Erfolg im Beruf – jeder hat zahlreiche Wünsche, für sich und andere. Doch wie sollen so viele Wünsche Wirklichkeit werden? In vielen Ländern gibt es dafür eine alte Tradition: den Wunschbaum.

Und so funktioniert es: Man schreibt seinen Wunsch auf eine Karte und hängt die Karte in den Wunschbaum. Der Baum symbolisiert die Verbindung zwischen Himmel und Erde und hilft so beim Wünschen.

2 **Welche Wünsche passen? Lesen Sie die Texte und notieren Sie die Wünsche von dem Wunschbaum in 1.**

____

Was ich werden will? Das weiß ich noch nicht, aber mir ist der Job sehr wichtig. Ich will unbedingt beruflich erfolgreich sein und arbeite dafür auch gern lang und viel. Hauptsache die Arbeit macht Spaß und ist interessant. Gern möchte ich im Job auch reisen und etwas von der Welt sehen.

____

Ich will unbedingt reich werden. Ich habe viele Hobbys: Ich fahre Ski, ich segle, ich reise gern, ich fahre Motorrad und will später unbedingt einen Sportwagen, ein Segelboot und ein Haus am Meer haben. Für meine Hobbys und Wünsche brauche ich Zeit und Geld. Ich kann also nicht so viel arbeiten.

3 **Wunschbaum im Kurs: Welche Wünsche haben Sie? Notieren Sie Ihren Wunsch/ Ihre Wünsche und ergänzen Sie den Wunschbaum.**

4 **Arbeiten Sie zu viert: Wie komme ich ans Ziel? Geben Sie im Kurs Tipps zu Ihren Wünschen.**

■ Ich will unbedingt Millionär werden.
▲ Werde doch Manager! Dann musst du aber auch viel arbeiten.
■ Ich will nicht viel arbeiten. Ich brauche Zeit für meine Hobbys.
● Spiel doch Lotto! Vielleicht gewinnst du.

Ich bin der Doktor Eisenbarth

Johann Andreas Eisenbarth hat von 1663 bis 1727 in Deutschland gelebt. Als ‚mobiler Arzt' ist er mit seinen Helfern von Ort zu Ort gefahren und hat auf dem Hauptplatz seine Dienste angeboten. Er hat seine Arbeit wohl recht gut gemacht und vielen Menschen geholfen.

Etwa 80 Jahre nach seinem Tod haben Studenten ein lustiges Lied über den Doktor geschrieben. In diesem Lied ist er aber kein guter Arzt und seine Ratschläge und Therapien sind sehr schlecht für seine Patienten. Ein paar sterben sogar dabei.

Das Lied ‚*Ich bin der Doktor Eisenbarth*' ist in Deutschland auch heute noch sehr bekannt. Wir haben die Originalmelodie genommen, aber den Text neu geschrieben. Für uns lebt Doktor Eisenbarth noch immer und gibt seine Ratschläge jetzt per Telefon.

1
- ◆ Hier spricht Doktor Eisenbarth.
- ◎ Guten Tag! Ich brauche Ihren Rat.
  Meine Arbeit stresst mich sehr.
- ◆ Na gut, dann arbeiten Sie nicht mehr!

2
- ◆ Ja hallo? Hier ist Eisenbarth.
- ◎ Herr Doktor, ich brauch' Ihren Rat.
  Mein Bein tut weh, ich kann nicht gehen.
- ◆ Dann bleiben Sie doch einfach stehen!

3
- ◆ Hallo? Was kann ich für Sie tun?
- ◎ Gack-gack, ich glaub', ich werd' ein Huhn.
  Was soll ich tun? Schnell! Eins, zwei, drei …
- ◆ Na, was schon? … Legen Sie ein Ei!

4
- ◆ Hier Eisenbarth, was wollen Sie fragen?
- ◎ Ich möcht' so gern Tabletten haben.
  Ich kann nicht schlafen in der Nacht.
- ◆ Na schön, dann schlafen Sie halt am Tag!

Chor

Gloria, Viktoria, widewidewitt juchheirassa!
Gloria, Viktoria, widewidewitt, bum bum.

▶3 21 **1 Lesen Sie den Chor-Text laut. Hören Sie dann das Lied und singen Sie mit.**

▶3 22 **2 Arbeiten Sie in Gruppen. Dichten Sie neue Strophen.**
Singen Sie sie dann vor. Der ganze Kurs singt den Chor-Text.

- ■ Hier spricht Doktor Eisenbarth.
- ▲ Guten Tag! Ich brauche Ihren Rat.
  Mein Kopf tut weh, die Augen auch.
- ■ Dann legen Sie sich auf den Bauch.

Der hatte doch keinen Bauch! 19

1 Auf einer Party

▶ 3 23 **a** Sehen Sie das Foto an und hören Sie. Was meinen Sie? Über welches Thema sprechen die beiden?

Ich glaube, sie sprechen über …

b Was meinen Sie: Was sagt die Frau? Was sagt der Mann?

Hören: Smalltalk

Sprechen: Personen beschreiben: *Er hatte doch keinen Bart!*; erstaunt reagieren: *Echt?*

Wortfelder: Aussehen, Charakter

Grammatik: Präteritum *war, hatte*; Perfekt nicht trennbare Verben: *gefallen, bekommen …*; Wortbildung *un-*

▶ 3 24

2 Hören Sie das Gespräch weiter und kreuzen Sie an.

noch einmal?

a Die beiden sprechen über ○ einen Freund. ○ die Party.
b Die beiden kennen Walter ○ schon lange. ○ noch gar nicht.
c ○ Sie ○ Er war mit Walter im Schwimmbad.
d Sie haben ihn ○ in letzter Zeit oft gesehen. ○ lange nicht gesehen.

3 So war Walter früher.

interessant?

a Wer sagt was? Ordnen Sie zu (F = Frau / M = Mann).

○ Walter war ein bisschen dick.
Er hatte einen Bart.
Er hatte keine Brille.

○ Walter hatte keinen Bauch.
Er hatte keinen Bart.
Er hatte eine Brille.

▶ 3 24 **b Hören Sie noch einmal und ergänzen Sie die Tabelle.**

GRAMMATIK

	Präsens	Präteritum	Präsens	Präteritum
	sein		*haben*	
ich	bin	______	habe	hatte
du	bist	______	hast	hattest
er/es/sie	ist	______	hat	______
wir	sind	waren	haben	______
ihr	seid	wart	habt	hattet
sie/Sie	sind	waren	haben	hatten

AB

4 Sie sieht wirklich sympathisch aus.

Spiel & Spaß

a Arbeiten Sie zu zweit. Suchen Sie eine Person aus und beschreiben Sie die Person Ihrer Partnerin / Ihrem Partner. Sie/Er rät: Wer ist das? Hilfe finden Sie im Bildlexikon.

■ Er hat einen Bart und ist ein bisschen dick.
▲ Ich glaube, das ist Walter Backes.

Film

b Sind die Wörter positiv (+) oder negativ (–)? Ordnen Sie zu.

⊕ sympathisch | ○ nett | ○ glücklich | ○ uninteressant | ○ unsympathisch | ⊖ komisch | ○ freundlich | ○ seltsam | ○ unfreundlich | ○ interessant | ○ fröhlich | ○ langweilig | ○ unglücklich/traurig | ○ hübsch

GRAMMATIK

⊕ sympathisch ↔ ⊖ unsympathisch

glatte ● Haare

● Locken

dick

schlank/dünn

hübsch

hässlich

c **Wie finden Sie die Personen auf der Zeichnung? Erzählen Sie.**

■ Ich finde, Angela Mai sieht wirklich sympathisch aus. Und Hannes Zeman sieht nett aus.
▲ Findest du? Ich finde, er sieht ein bisschen langweilig aus.

Spiel & Spaß

5 Personen beschreiben: früher und heute. Arbeiten Sie auf Seite 171.
Ihre Partnerin / Ihr Partner arbeitet auf Seite 174.

AB

6 Hast du schon gesehen ...?

▶ 3 25–27

a **Was ist richtig? Hören Sie drei weitere Party-Gespräche und kreuzen Sie an.**

1 Tom hat Natascha gleich erkannt. ○
Natascha hat Peter früher sehr gut gefallen. ○
2 Mark und Sylvie haben vor sechs Monaten ein Baby bekommen. ○
Leider hat Mark das Baby in einem Café vergessen. ○
Mark hat sich entschuldigt. Dann war alles in Ordnung:
Sylvie und er sind noch ein Paar. ○
3 Mike Palfinger hat eine Diskothek gehört. ○
Es gibt sie nicht mehr. Die Nachbarn haben sich beschwert. Es war zu laut. ○

Beruf

b **Wie heißen die Verben im Perfekt? Ergänzen Sie.**

GRAMMATIK

nicht trennbare Verben

Infinitiv	Perfekt (früher) er/es/sie hat + ...en / ...t
erkennen	erkannt
gefallen	
bekommen	
vergessen	
entschuldigen	
gehören	
beschweren	

GRAMMATIK

Leider **hat** Mark das Baby in einem Café **vergessen**.

AB

7 Ihre (Lügen-)Geschichte

a **Notieren Sie Stichpunkte zu Ihrem Leben. Aber: Eine Sache ist falsch.**

in Paris geboren /
Vater: hatte eine Bäckerei,
Mutter: Hausfrau /
3 Brüder, 3 Schwestern ...

b **Arbeiten Sie zu dritt. Erzählen Sie den anderen Ihre Geschichte.**

Ich bin in Paris geboren.
Mein Vater hatte eine
Bäckerei, meine Mutter ...

c **Die anderen raten: Was ist falsch in Ihrer Geschichte?**

■ Ich glaube, du hast nicht so viele Geschwister.
▲ Doch!
■ Aber dein Vater hatte keine Bäckerei, oder?
▲ Das stimmt, er war Architekt.

AB **8 Erstaunt reagieren** 

▶ 3 28–30 **a Was passt? Hören Sie die Party-Gespräche noch einmal und ergänzen Sie.**

Ach komm! | Ach du liebe Zeit! | Ach was! | Echt? | Wahnsinn!

1
■ Doch, das ist Walter!
▲ ______________! Walter hatte auch keinen Bart.
■ Was sagst du da? Natürlich hatte er einen Bart. …
■ Wann war das denn?
▲ Vor acht Jahren vielleicht.
■ ______________. Da hatten wir ja schon keinen Kontakt mehr.
▲ Oh, jetzt hat er uns gesehen! Er kommt.
■ ______________. Er ist es wirklich. …

2
■ Mark hat sich tausendmal entschuldigt. Aber Sylvie will nicht mehr mit ihm zusammen sein. Und Mark wohnt jetzt wieder bei seinen Eltern.
▲ ______________!
…
■ Das ist diese Luxus-Disco in Grünwald, oder?
▲ Das war sie. Es gibt sie nämlich nicht mehr.
■ ______________? Warum denn nicht?

b Spielen Sie zu dritt kleine Party-Gespräche. Person A erzählt etwas über eine Prominente / einen Prominenten. B und C reagieren erstaunt.

■ Habt ihr schon gehört? Brad Pitt ist wieder Single!
▲ Ach komm! / ● Ach du liebe Zeit!

Audiotraining | Karaoke

GRAMMATIK

Präteritum: *sein* und *haben*

	Präsens	Präteritum	Präsens	Präteritum
ich	bin	war	habe	hatte
du	bist	warst	hast	hattest
er/es/sie	ist	war	hat	hatte
wir	sind	waren	haben	hatten
ihr	seid	wart	habt	hattet
sie/Sie	sind	waren	haben	hatten

Perfekt: nicht trennbare Verben

Infinitiv	Präsens (heute)	Perfekt (früher)
		haben + be/ge/ver...en/t
erkennen	er/sie erkennt	er/sie hat erkannt
bekommen	er/sie bekommt	er/sie hat bekommen

auch so: gefallen – gefallen, vergessen – vergessen, entschuldigen – entschuldigt, beschweren – beschwert

auch so nach: ent-, emp-, miss-, zer-

Wortbildung: Adjektive mit *un-*

☺ sympathisch ↔ ☹ unsympathisch

KOMMUNIKATION

Personen beschreiben: Aussehen und Charakter

Er ist (ein bisschen) dick/schlank/…
Er hat blonde/dunkle/lange/kurze Haare.
Er hat (k)einen Bart / (k)eine Brille / …
Er sieht nett/sympathisch/lustig/interessant/… aus.

über Vergangenes sprechen

Früher war sie Sekretärin/…
Früher hatte er lange Haare / …
Sie haben vor zwei Jahren ein Baby bekommen / …

erstaunt reagieren

Ach komm! | Ach du liebe Zeit! | Ach was! | Echt? | Wahnsinn!

Sprechen: Bitten und Aufforderungen: *Deck bitte den Tisch.*

Lesen: Tagebucheintrag

Schreiben: E-Mail

Wortfeld: Aktivitäten im Haushalt

Grammatik: Imperativ *(du/ihr): Mach dein Bett!*; Personalpronomen im Akkusativ: *mich, dich, ihn, …*

1 **Sehen Sie das Foto an. Was meinen Sie: Was macht das Mädchen gerade?**

▶ 3 31 **2** **Was ist richtig? Hören Sie und kreuzen Sie an.**

Line …
1 hatte heute ○ einen schlechten ○ einen guten Tag.
2 schreibt ○ einen Brief. ○ Tagebuch.
3 ○ soll ○ soll nicht runterkommen.

3 **Schreiben Sie Tagebuch oder haben Sie früher Tagebuch geschrieben? Erzählen Sie.**

- Müll/Abfall raus·bringen
- Tisch decken
- Geschirr spülen/ab·waschen
- Geschirr ab·trocknen
- Wäsche waschen
- Wäsche auf·hängen
- bügeln

AB **4** **Was hat Line geschrieben?**

a **Lesen Sie Lines Tagebucheintrag und markieren Sie im Text: Was soll Line im Haushalt alles machen? Hilfe finden Sie im Bildlexikon.**

Donnerstag, 21. Juni
Mama ist doch nicht normal, oder? Immer ruft sie Melanie und mich: „Na los! Schlaft doch nicht so lange! Seid nicht so faul! Deckt doch jetzt endlich den Tisch! Bringt doch auch mal den Müll raus! Räumt die Spülmaschine aus!" So geht das den ganzen Tag. Das nervt total. Und sie muss natürlich nie ‚bitte' sagen, das müssen nur wir.

Gestern hat mich Yannick besucht. Wir sind gerade in meinem Zimmer und reden so und was macht sie? Sie kommt einfach rein: „Vergiss ja deine Hausaufgaben nicht! Und mach endlich dein Bett!"
Mann, das war so peinlich!
Keine andere Mutter ist so, nur Mama.
Oh nein! Da ruft sie mich schon wieder! Was will sie denn jetzt? Sicher soll ich mein Zimmer aufräumen oder das Bad putzen. Mist!

Spiel & Spaß

b **Wer soll was tun? Lesen Sie noch einmal und kreuzen Sie an. Ergänzen Sie dann die Tabelle.**

	Line	Line und Melanie
Seid nicht so faul!	○	⊗
Schlaft nicht so lange!	○	○
Deckt den Tisch!	○	○
Vergiss deine Hausaufgaben nicht!	○	○
Bringt den Müll raus!	○	○
Räumt die Spülmaschine aus!	○	○
Mach dein Bett!	○	○

GRAMMATIK

Imperativ	**du**	**ihr**	
decken	Deck den Tisch!	________ den Tisch!	*auch so:* machen
schlafen	Schlaf ...!	________ ...!	
vergessen	________ ...!	Vergesst ...!	
aus⁝räumen	Räum ... aus!	________ ... aus!	*auch so:* raus⁝bringen
! sein	Sei ...!	________ ...!	
! haben	Hab ...!	Habt ...!	

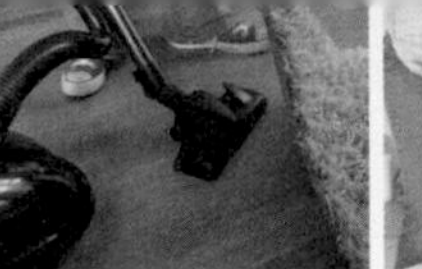

• Spülmaschine aus·räumen • Bad putzen • Fenster putzen • Boden wischen staubsaugen • Zimmer auf·räumen • Bett machen

Spiel & Spaß

5 **Wer hat das beste Gedächtnis?**
Sehen Sie das Bildlexikon zwei Minuten lang an und schließen Sie dann das Buch. Wie viele Tätigkeiten aus dem Bildlexikon wissen Sie noch? Notieren Sie. Vergleichen Sie im Kurs. Gewonnen hat, wer die meisten Tätigkeiten notiert hat.

interessant?

6 **Bewegungsspiel: Formulieren Sie Bitten mit den Ausdrücken im Bildlexikon. Die anderen machen Pantomime.**

1 Bitte mit „du": Ihre rechte Nachbarin / Ihr rechter Nachbar macht die passende Bewegung.
2 Bitte mit „ihr": Der ganze Kurs macht die passende Bewegung.

Putzt bitte die Fenster.

AB **7** **In der Wohngemeinschaft**

a **Lesen Sie die Notiz. Was passt zusammen? Ordnen Sie zu.**

Hi Sara,
so, jetzt bin ich für eine Woche nicht da. Hier noch ein paar Informationen:
1 Die Wäsche ist fertig.
2 Das Bad war sehr schmutzig.
3 Auf dem Anrufbeantworter war ein Anruf von Peter.
4 Habt Ihr (Du und Stephan) morgen Zeit?
5 Meine Fenster sind alle noch auf.
6 Ich komme nächsten Mittwoch um 10.00 Uhr am Bahnhof an.

A Ich habe es noch schnell geputzt. Jetzt ist es ganz sauber. ☺
B Miriam möchte Euch zu ihrem Geburtstag einladen.
C Kannst Du mich vielleicht abholen? Ich habe so viel Gepäck.
D Ruf ihn doch bitte zurück.
E Sei doch so lieb und häng sie bitte auf. Ich hab's nicht mehr geschafft.
F Kannst Du sie heute Abend bitte zumachen?

Bis nächste Woche und liebe Grüße
Alex

1	2	3	4	5	6
E					

b **Ergänzen Sie.**
Wer/Was ist *es*, ...?

A es: das Bad
B euch: ________
C mich: ich
D ihn: ________
E sie: ________
F sie: ________

Beruf

c **Ergänzen Sie die Tabelle.**

GRAMMATIK

Personalpronomen	
Nominativ	**Akkusativ**
ich	________
du	dich
er/es/sie	________ / ________ / ________
wir	uns
ihr	________
sie/Sie	________ / Sie

8 **Jemanden auffordern: Putz es doch bitte! Arbeiten Sie auf Seite 173.**

20 SCHREIBTRAINING

AB **9** **Der perfekte Mitbewohner**

a Lesen Sie die Anzeige und die E-Mail und kreuzen Sie an.

Supergünstiges WG-Zimmer in Traumwohnung!!!
Miete: 250,00 Euro (inkl. Nebenkosten)
Zimmergröße : 20 m² | Balkon/Terrasse: ✓ | frei ab: 1.10.
Bist du ordentlich? Und putzt du auch freiwillig mal Bad und Küche?
Ich (Franzi, 28 J.) biete günstiges WG-Zimmer in HH-Stadtzentrum.
Kontakt: Franzi.redder@rts.de

Hallo Franzi,
die Wohnung sieht ja toll aus!
Ich heiße Gert, bin 27 Jahre alt und studiere Architektur. Und ich bin sehr ordentlich und putze oft und gründlich ☺!
Ich koche auch wahnsinnig gern. Dein perfekter Mitbewohner also ☺!
Ich freue mich schon auf Deine Antwort.
Viele Grüße
Gert

1 Franzi sucht einen
○ ordentlichen ○ netten Mitbewohner.
2 Das WG-Zimmer ist
○ sehr teuer. ○ sehr billig.
3 Gert arbeitet
○ gern ○ gar nicht gern im Haushalt.

Diktat

b Was machen Sie gern im Haushalt? Notieren Sie drei bis vier Tätigkeiten. Sie suchen auch ein Zimmer. Schreiben Sie eine E-Mail an Franzi.

Liebe | Hallo …
Die Wohnung / Das Zimmer sieht sehr schön/toll aus /…
Ich heiße … und arbeite als … / bin …
Ich bin sehr ordentlich.
Ich hasse Unordnung/Dreck.
Ich … wahnsinnig/sehr gerne.
Ich kann sehr gut …
Viele/Liebe Grüße

Audiotraining

Karaoke

GRAMMATIK

Imperativ (du / ihr)		
	du	**ihr**
decken	Deck …!	Deckt …!
schlafen	Schlaf …!	Schlaft …!
vergessen	Vergiss …!	Vergesst …!
aus¦räumen	Räum … aus!	Räumt … aus!
! sein	Sei …!	Seid …!
! haben	Hab …!	Habt …!

Personalpronomen im Akkusativ	
Nominativ	**Akkusativ**
ich	mich
du	dich
er/es/sie	ihn/es/sie
wir	uns
ihr	euch
sie/Sie	sie/Sie
Ich komme um 10 Uhr an. Holst du mich bitte ab?	

KOMMUNIKATION

Bitten und Aufforderungen
Spül (bitte) das Geschirr! Deckt (bitte) den Tisch! Komm (bitte) sofort runter da! Sei doch so lieb und … Ruf ihn doch bitte zurück.

Bei Rot musst du stehen, bei Grün darfst du gehen. 21

Sprechen: seine Meinung sagen: *Das finde ich nicht so schlimm!*; über Regeln sprechen: *Hier darf man nicht rauchen.*

Lesen: Zeitungskolumne

Wortfeld: Regeln in Verkehr und Umwelt

Grammatik: Modalverben *dürfen, müssen*

▶ 3 32 **1 Sehen Sie das Foto an und hören Sie.**
Was passiert hier? Erzählen Sie.

Da sind ein Mann und ein Kind ...

2 Was machen Sie bei einer roten Ampel ...

... als Fußgänger?
... als Fahrradfahrer?
... als Autofahrer?

■ Zu Fuß gehe ich manchmal bei Rot über die Ampel.
▲ Wirklich? Ich nicht. Ich bleibe bei Rot immer stehen.

Picknick erlaubt

Reiten erlaubt

Zelten erlaubt

Handys erlaubt

Hunde erlaubt

Baden erlaubt

AB **3** **Regeln, Regeln, Regeln ...**

a **Lesen Sie nur die Überschrift und den ersten Satz. Was meinen Sie?**

Christoph Richter ist ○ für ○ gegen viele Regeln in unserem Leben.

b **Lesen Sie nun den ganzen Text. War Ihre Vermutung in a richtig?**

DAS IST MEINE MEINUNG:
Heute von Christoph Richter

Regeln, Regeln, Regeln ...
... unser Leben ist voller Regeln.

Im Restaurant darf man nicht rauchen. ○
Im Flugzeug darf man nicht telefonieren. Na schön, das kann man ja noch verstehen. ○
Aber warum muss man in vielen Parks auf dem Weg bleiben? Warum darf man nicht auf die Wiese gehen? ○
Warum muss man als Mofafahrer einen Helm tragen und als Radfahrer nicht? ○
Warum muss man in der Bibliothek leise sein? ①
Warum darf man im Bus nicht essen? ○
Warum darf mein Hund nicht mit in das Geschäft? ○
Muss man denn wirklich ALLES regeln?

c **Lesen Sie noch einmal. Welches Schild passt zu welchem Satz in b? Ordnen Sie zu. Hilfe finden Sie im Bildlexikon.**

Spiel & Spaß

1 
2 
3 
4 
5 
6 
7 

GRAMMATIK

	müssen	**dürfen**
ich	muss	darf
du	musst	darfst
er/sie/man	muss	darf
wir	müssen	dürfen
ihr	müsst	dürft
sie/Sie	müssen	dürfen

GRAMMATIK

Man muss leise sein.
Man darf nicht essen.

INFO

✗ darf nicht
✓ darf
! muss

AB **4** **Regeln im Straßenverkehr: *dürfen* oder *müssen*? Ergänzen Sie in der richtigen Form.**

interessant?

a Motorradfahrer müssen immer einen Helm tragen.
b Autofahrer ___________ immer den Gurt anlegen.
c Manchmal ___________ man nicht hupen, zum Beispiel in der Nähe von Krankenhäusern.

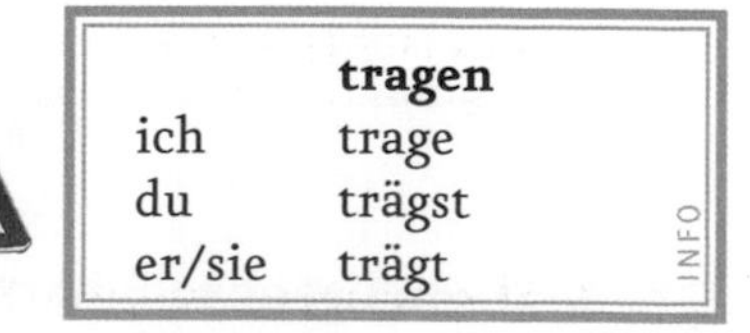

	tragen
ich	trage
du	trägst
er/sie	trägt

INFO

Parken erlaubt

Grillen erlaubt

Fahrradfahren erlaubt

Angeln erlaubt

Rauchen erlaubt

d Sie wollen nach links fahren? Das __________ Sie hier nicht. Sie __________ geradeaus fahren.

e Und hier __________ Autos, Motorräder und Fahrräder gar nicht fahren.

AB **5 Welche Regeln aus dem Text in 3 finden Sie gut, welche nicht? Erzählen Sie.**

- ■ Im Flugzeug darf man nicht telefonieren. Das finde ich richtig. Das ist gefährlich.
- ▲ Das finde ich auch richtig.
- ● Ich verstehe das nicht. Das kann doch nicht so gefährlich sein.

KOMMUNIKATION

☹	☺
falsch / nicht in Ordnung	richtig / in Ordnung
nicht so / gar nicht gut	nicht (so) schlimm
(sehr) gefährlich	nicht (so) gefährlich

AB **6 Im Park**

Spiel & Spaß

Sehen Sie das Bild an und sprechen Sie. Was darf man hier (nicht)? Was muss man? Hilfe finden Sie auch im Bildlexikon.

langsam fahren | auf Kinder achten | Hunde an die Leine nehmen | Fahrrad schieben | auf der Wiese sitzen | Fahrrad fahren | telefonieren | essen | parken | über die Straße gehen | Wasser trinken | ...

INFO
Das ist verboten. = Das darf man nicht.
Das ist erlaubt. = Das darf man.

Der Mann hier fährt Fahrrad. Man darf aber im Park nicht Fahrrad fahren. Das ist verboten. Man muss das Fahrrad schieben.

AB **7 Mal ehrlich: Welche Regeln akzeptieren Sie? Arbeiten Sie zu zweit auf Seite 175.**

Beruf

8 Die Regeln in „Glückstadt"

Diktat

a Sie leben in Glückstadt. Arbeiten Sie in Gruppen und bestimmen Sie die Regeln für Ihre Stadt. Was darf man (nicht)? Was muss man? Machen Sie ein Plakat.

b Stellen Sie den anderen Gruppen Ihre Stadt vor. Stimmen Sie ab: In welcher Stadt möchten Sie leben?

Bei uns darf man nicht zu viel arbeiten. Aber man darf immer …

Audiotraining | Karaoke

GRAMMATIK

Modalverben *dürfen* und *müssen*		
	dürfen	**müssen**
ich	darf	muss
du	darfst	musst
er/es/sie	darf	muss
wir	dürfen	müssen
ihr	dürft	müsst
sie/Sie	dürfen	müssen

Modalverben im Satz	
Man muss in der Bibliothek leise	sein.
Man darf im Bus nicht	essen.

KOMMUNIKATION

über Regeln sprechen
Hier darf man (nicht) rauchen/...
Motorradfahrer müssen einen Helm tragen.
Das ist (nicht) verboten.
Das ist (nicht) erlaubt.

seine Meinung sagen: Das finde ich …	
☹	☺
falsch / nicht in Ordnung	richtig / in Ordnung
nicht so / gar nicht gut	nicht (so) schlimm
(sehr) gefährlich	nicht (so) gefährlich

Montagmorgen, 06.38 Uhr

Es ist ruhig im U-Bahn-Waggon. Die meisten Fahrgäste sehen ziemlich müde aus. Wer sind die Leute? Woher kommen sie? Wohin fahren sie? Ich hole das Mikro aus der Tasche und schalte mein Aufnahmegerät ein:

„Entschuldigung? Darf ich mal was fragen?"

Mein Name ist Adem Yilmaz. Ich bin 28 Jahre alt und arbeite in der Universitätsklinik als Krankenpfleger. Gerade komme ich von der Arbeit. Der Nachtdienst beginnt pünktlich um halb zehn Uhr abends: Die Kollegen vom Spätdienst wollen nach Hause. Vorher informieren sie uns über die Situation auf der Station. Wir müssen dann alle zwei Stunden nach den Patienten sehen. Manche bekommen Medikamente, manche muss man von einer Seite auf die andere legen, die frisch Operierten muss man besonders genau kontrollieren. Aber auch sonst gibt es viel Arbeit: man muss Pflegeberichte schreiben, man muss alles sauber halten und so weiter. Von halb zwei bis zwei haben wir Pause. Um diese Zeit bin ich immer total müde. Dann sag ich mir: Junge, schlaf bloß nicht ein! Naja, gleich bin ich zu Hause. Dort darf ich schlafen.

Ich bin Marlies Kretschmann, 34 Jahre alt und Polizeibeamtin. Gerade habe ich meinen Sohn Jonas in den Kindergarten gebracht. Jetzt bin ich auf dem Weg zur Arbeit. Unser Frühdienst beginnt normalerweise um sechs Uhr, aber diese Woche muss ich erst um sieben Uhr anfangen. Ich bin Polizeiobermeisterin und arbeite in der Dienststelle und draußen im Streifendienst. In der Dienststelle muss man viel Schreibarbeit machen. Im Streifendienst ist man mit einem Kollegen oder einer Kollegin im Stadtteil unterwegs. Diese Arbeit gefällt mir besonders gut. Da lernt man das Leben und die Menschen kennen. Manche Kollegen kommen in Uniform zum Dienst, ich ziehe mich erst auf der Wache um. Den Frühdienst mag ich besonders gern. Da habe ich um 13 Uhr schon Dienstschluss und kann Jonas vom Kindergarten abholen.

Ich heiße Markus Hirsch, bin 46 Jahre alt und selbstständig. Vielleicht kennen Sie mich ja unter meinem Künstlernamen Argor Zafran. Ich bin Zauberer. Vor etwa einer halben Stunde bin ich mit dem Nachtzug aus Rom am Hauptbahnhof angekommen. Um acht Uhr muss ich im Messezentrum sein. Dort soll ich ab 9 Uhr auf dem *‚7. Europäischen Magier- und Illusionistentreffen‘* meine neue Show vorstellen. Danach muss ich gleich weiter zum Flughafen. Um 12:50 Uhr startet mein Flugzeug nach Rotterdam. Dort checke ich heute Nachmittag auf der *‚Lady Amanda‘* ein. Das ist ein Luxus-Schiff und mit dem mache ich eine Fahrt in die Karibik. Ich muss nur dreimal im Showprogramm mitmachen. Der Rest ist für mich Urlaub. Und dafür bekomme ich auch noch Geld. Herrlich!

1 Lesen Sie den Text und markieren Sie:

Wer sind die Personen? | Was ist ihr Beruf? | Woher kommen sie? | Wohin fahren sie?

2 Und Sie? Was erzählen Sie am Montagmorgen in der U-Bahn?
Machen Sie Notizen zu den Fragen in 1 und erzählen Sie.

▶ Clip 19 **1 Bach war dick. – Wie waren die Personen? Sehen Sie den Film und ergänzen Sie.**

a Wilhelm Friedemann Bach war ________________.

b Carl Phillipp Emanuel Bach ________________.

c Friedrich Schiller ________________.

d Mozart ________________.

▶ Clip 20 **2 Generationen miteinander. – Was ist richtig?**
Sehen Sie die Reportage und kreuzen Sie an.

a Linus soll ◯ Obst ◯ Brot ◯ Käse mitbringen.

b Linus hilft seiner Oma.
◯ Er räumt auf. ◯ Er geht einkaufen.
◯ Er fährt mit ihr zum Arzt.

c Die Oma möchte
◯ in ihrer eigenen Wohnung bleiben.
◯ bei ihrer Tochter wohnen.

d Linus soll
◯ seine Oma morgen anrufen.
◯ seine Oma morgen besuchen.
◯ morgen für seine Oma einkaufen.

▶ Clip 21 **3 Boote verboten! – Sehen Sie den Musikclip und ergänzen Sie.**

anlehnen | spazieren gehen | gehen | gehen | mitnehmen

a Man darf abends nicht auf das Grundstück ________________.

b Man darf hier keine Boote und Surfbretter ________________.

c Man darf hier kein Fahrrad ________________.

d Man darf hier nicht über die Gleise ________________.

e Man darf hier mit dem Hund nicht ________________.

1 **Was ist richtig? Lesen Sie das Porträt und kreuzen Sie an.**

DJ Ötzi – Entertainer und Musiker

DJ Ötzi (eigentlich Gerhard Friedle) ist Entertainer und Musiker. Er kommt aus Österreich und ist am 7. Januar 1971 in St. Johann in Tirol geboren. Der Schlagersänger wächst bei seiner Großmutter auf und macht zunächst eine Ausbildung als Koch. Mitte der 90er Jahre entdeckt man ihn bei einem Karaoke-Wettbewerb. Danach arbeitet er als Animateur, Sänger und DJ in Österreich, auf Mallorca und in der Türkei. 1999 wird DJ Ötzi mit dem Hit „Anton aus Tirol" im deutschsprachigen Raum bekannt. Der internationale Durchbruch folgt im Jahr 2000 mit dem Coversong „Hey Babe". Über 16 Millionen CDs hat der Sänger weltweit verkauft. Erkennen kann man DJ Ötzi an seiner weißen Mütze. Nur selten sieht man ihn ohne sie. Inzwischen tragen auch viele Fans weiße Strickmützen. Nicht nur der Erfolg, auch die Familie ist DJ Ötzi wichtig. 2001 heiratet er die Musikmanagerin Sonja Kein und 2002 kommt die gemeinsame Tochter Lisa-Marie zur Welt.

DJ Ötzi

STECKBRIEF

Künstlername:	DJ Ötzi
bürgerlicher Name:	Gerhard Friedle
Geburtsdatum:	07.01.1971
Geburtsort:	St. Johann (Tirol / Österreich)
Familienstand:	verheiratet, eine Tochter
Körpergröße:	1,83
Haarfarbe:	blond (gefärbt)
Augenfarbe:	braun

a DJ Ötzi ist
- ◯ als Koch
- ◯ als Musiker
- ◯ als Urlauber-Animateur

bekannt.

b Man kennt DJ Ötzi
- ◯ nur in Österreich.
- ◯ nur im deutschsprachigen Raum.
- ◯ auch im Ausland.

c Man erkennt DJ Ötzi
◯ an seinen braunen Augen. ◯ an seinem Bart. ◯ an seiner weißen Mütze.

2 **Prominente aus den deutschsprachigen Ländern**

a **Wählen Sie einen Prominenten aus den deutschsprachigen Ländern. Schreiben Sie ein Porträt wie in 1 und suchen Sie auch ein passendes Foto.**

> Heike Makatsch ist Schauspielerin. Sie kommt aus Deutschland und ist am 13.08.1971 in Düsseldorf geboren …

b **Alle Kursteilnehmer hängen ihre Fotos an eine Wand. Präsentieren Sie Ihre Person im Kurs. Können die anderen Kursteilnehmer das richtige Foto finden?**

> Meine Person ist Schauspielerin. Sie ist … geboren und …

Der Bitte-Danke-Walzer

1
Entschuldigung? … Sie verzeihen?
Dürfen wir mal eben hier vorbei?
Sehr freundlich! … Herzlichen Dank!

Herr Ober? Sagen Sie, ist hier noch frei?
Wir möchten einen Tisch für zwei.
Natürlich. … Bitte, nehmen Sie Platz!

Was darf ich Ihnen bringen?
Jawohl. … Sehr gern. … Vielen Dank!
Oh, ein Walzer! … Darf ich bitten?
Schenken Sie mir diesen Tanz?

2
Darf ich Sie etwas fragen?
Können Sie mir bitte sagen:
Wie spät ist es jetzt?

Aber natürlich. … Kein Problem.
Es ist gerade Null Uhr zehn.
Dankeschön! … Bitte! Gern geschehen.

Müssen Sie wirklich schon gehen?
Bitte, bleiben Sie noch etwas hier!
Machen Sie mir doch die Freude …
und tanzen den nächsten
Walzer noch mit mir.

3
Ach nein, es tut mir wirklich leid:
Ich habe leider keine Zeit mehr.
Ich muss jetzt nach Hause gehen.

Wie schade! … Vielleicht nächstes Mal?
Sehr gern … Ja, auf jeden Fall.
Na schön … dann also: Bis bald?

Es hat mich sehr gefreut.
Der Abend mit Ihnen war schön.
Mir hat es auch gut gefallen.
Ich freu' mich auf ein Wiedersehen!

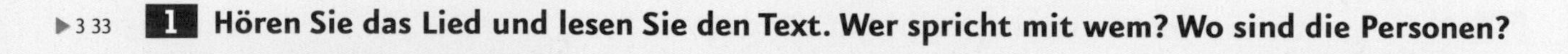

▶ 3 33 **1 Hören Sie das Lied und lesen Sie den Text. Wer spricht mit wem? Wo sind die Personen?**

2 Lesen Sie den Text noch einmal und ergänzen Sie die Tabelle.
Vergleichen Sie dann mit Ihrer Partnerin / Ihrem Partner.

um etwas bitten	auf Bitten reagieren
Entschuldigung?	Natürlich.

sich bedanken	auf Dank reagieren
Sehr freundlich!	Bitte!

▶ 3 33 **3 Hören Sie das Lied noch einmal und singen Sie mit.**

Am besten sind seine Schuhe! 22

Hören/Sprechen: über Kleidung sprechen und sie bewerten: *Am besten sind seine Schuhe!*; Aussagen verstärken: *Total schön.*

Lesen: Forumsbeiträge

Wortfeld: Kleidung

Grammatik: Komparation: *gut, besser, am besten*; Vergleiche: *Das Hemd gefällt ihr besser als die Hose.*

1 Wohin geht er wohl?

▶ 3 34 **a Sehen Sie das Foto an und hören Sie. Was ist richtig? Kreuzen Sie an.**

1 Wie findet die Mutter Fabians Kleidung?
◯ Sie gefällt ihr. ◯ Sie gefällt ihr nicht.

2 Wie findet Fabian die Reaktion seiner Mutter?
◯ Gut. ◯ Nicht so toll.

b Wie finden Sie Fabians Kleidung? Wohin geht Fabian? Was meinen Sie?

Ich finde die Kleidung seltsam. Ich glaube, Fabian geht zum Karneval.

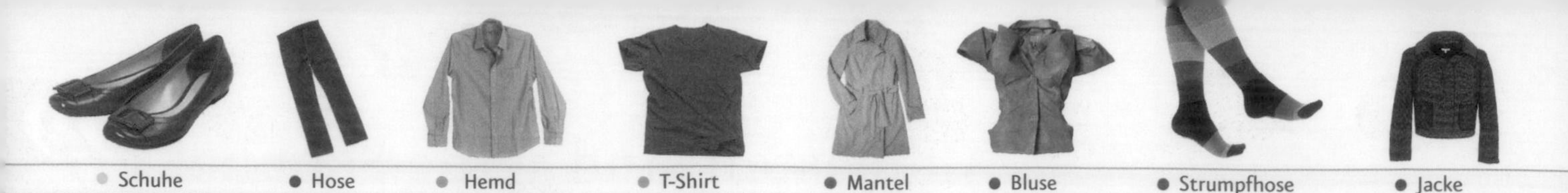

AB **2** **Kleidung**

a **Was kaufen Sie wie oft? Sehen Sie ins Bildlexikon / ins Wörterbuch und notieren Sie.**

oft	manchmal	(fast) nie
Röcke		

Spiel & Spaß

b **Ratespiel: Alle schließen die Augen. Eine/r wählt eine Person und beschreibt: Was hat diese Person an? Die anderen raten.**

■ Meine Person hat eine Hose und einen Pullover an. Die Hose ist blau.
▲ Ist das Martin?
■ Nein. Der Pullover ist …

▶ 3 35 AB **3** **Super Kostüm!**

a **Was ist richtig? Hören und markieren Sie.**

1 Fabian ist auf einem Konzert / einer Party.
2 Die Kleidung soll hässlich / schön sein.

noch einmal?

b **Hören Sie noch einmal und ergänzen Sie die Namen unter dem Foto.**

~~Fabian~~ | Harry | Jana | Jasmin | Vera

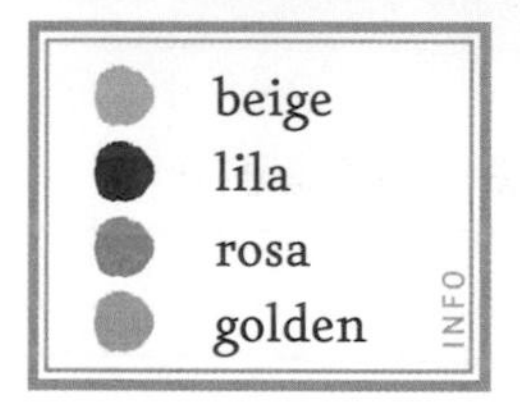

________ ________ Fabian ________ ________

AB **4** **Am besten sind seine Schuhe!**

a **Wie finden Maike und Elena die Kostüme? Lesen Sie die Tabelle und ergänzen Sie.**

Am besten | Am liebsten | besser | gern | ~~gut~~ | lieber

1 Maike findet Fabians Kostüm gut (+).
2 Das Hemd gefällt ihr ________ (++) als die Hose.
3 ________ (+++) findet sie seine Schuhe.
4 Elena mag Lila genauso ________ (+) wie Rosa.
5 Maike mag ________ (+ +) Beige als Lila.
6 ________ (+++) mögen Elena und Maike Golden.

GRAMMATIK

+	++	+++
gut	besser	am besten
gern	lieber	am liebsten

GRAMMATIK

Vergleiche
Lila (+) mag sie genau**so** gern **wie** Rosa (+).
Beige (+ +) mag sie lieber **als** Rosa (+).

b **Schreiben Sie Sätze zu dem Foto in 3. Wie viele Sätze finden Sie in 5 Minuten?**

Ich mag Janas Kostüm am liebsten.
Ich finde Harrys Hut genauso gut wie Jasmins Mütze.
Veras Kleid gefällt mir besser als Jasmins Kleid.

● Hut ● Mütze ● Kleid ● Pullover ● Rock ● Socke / ● Strumpf ● Gürtel

AB interessant?

5 Mein Lieblings-T-Shirt

a Arbeiten Sie in Gruppen und lesen Sie die Texte im Forum. Schreiben Sie drei Fragen und geben Sie sie einer anderen Gruppe. Sie beantwortet die Fragen.

1 Hat Marco ein Lieblings-T-Shirt?
2 ...

Mein Lieblings-T-Shirt

Marco:

Ich habe nicht nur ein Lieblings-T-Shirt.
Aber dieses hier finde ich zurzeit am lustigsten. Wie ihr sehen könnt, ist es schon ziemlich alt. Ich habe es viel getragen und natürlich auch oft gewaschen. Aber es gefällt mir immer noch total gut. Und am meisten mag ich an dem T-Shirt: In ihm habe ich meine Freundin kennengelernt. *7. Juli um 21:06*

Fred: Stimmt, der Text auf dem T-Shirt ist toll! Aber schau mal, dieses T-Shirt finde ich noch lustiger als Deins. *8. Juli um 19:21*

Tom: Klasse, Fred! 👍 Dein T-Shirt ist ja noch älter als das von Marco! Und das Foto ist cool und die Farbe auch noch schöner als bei Marco ;-). *8. Juli um 19:35*

Spiel & Spaß

b Lesen Sie die Texte noch einmal und markieren Sie die Adjektive. Ergänzen Sie dann.

GRAMMATIK

+	++ -er	+++ am ... -(e)sten
lustig	______	______
schön	______	am schönsten
! alt	______	am **ä**ltesten
! groß	gr**ö**ßer	______
! klug	______	am kl**ü**gsten
! viel	mehr	am meisten

6 T-Shirt-Werkstatt: Welches T-Shirt ist am schönsten?

a Entwerfen Sie zu zweit Ihr eigenes T-Shirt. Wie sieht es aus? Schreiben und malen Sie.

b Machen Sie eine Ausstellung im Kurs. Welches T-Shirt gefällt Ihnen am besten?

■ Welches T-Shirt findest du am schönsten?
▲ Das hier. Und du?
■ Mir gefällt das besser. Die Farben sind schöner.

Diktat

7 Kleidung beschreiben: Mein Lieblings-Kleidungsstück. Arbeiten Sie auf Seite 176.

SPRECHTRAINING

AB **8** **Das ist *wahnsinnig* hässlich!**

▶ 3 36 Film

a Hören Sie noch einmal und ergänzen Sie. Sprechen Sie dann nach und achten Sie auf die Betonung.

richtig | total | wahnsinnig

■ Und seine Strümpfe sehen auch _______________ billig aus.
▲ Das ist alles so _______________ schön golden.
■ _______________ lustig!

Das ist lustig!

☺☺☺

Das ist total/richtig/wahnsinnig lustig!

INFO

b Sehen Sie in eine Zeitschrift oder einen Katalog. Wie finden Sie die Kleidung?

■ Wow, hast du das Kleid schon gesehen? Total schön.
▲ Was? Das gefällt dir? Das ist doch wahnsinnig langweilig.
● Aber seht mal, das hier ist richtig toll.

Audiotraining | Karaoke

GRAMMATIK

Komparation: gut, gern, viel		
Positiv	**Komparativ**	**Superlativ**
+	++	+++
gut	besser	am besten
gern	lieber	am liebsten
viel	mehr	am meisten

Komparation: andere Adjektive			
Positiv	**Komparativ**	**Superlativ**	
+	++ + **-er**	+++ **am ...-(e)sten**	
lustig	lustiger	am lustigsten	
alt	älter	am ältesten	-d/-t/ -s/-z: + esten
groß	größer	am größten	
klug	klüger	am klügsten	
oft bei einsilbigen Adjektiven:			
a → ä: alt | älter | am ältesten o → ö: groß | größer | am größten u → ü: kurz | kürzer | am kürzesten			

Vergleiche: als, wie

Lila (+) mag sie genau**so** gern **wie** Rosa (+).
Das Hemd (++) gefällt ihr besser **als** die Hose (+).

KOMMUNIKATION

Kleidung bewerten

Welches T-Shirt findest du am schönsten?
Das hier. Und du?
Mir gefällt das besser. Die Farben sind schöner.

über Kleidung sprechen

Ich habe das T-Shirt bei einem Konzert in Berlin gekauft.
Ich ziehe es oft an, zuletzt am Montag.

Aussagen verstärken

Wow, hast du das Kleid schon gesehen? Total schön.
Was? Das gefällt dir? Das ist doch wahnsinnig langweilig.
Aber seht mal, das hier ist richtig toll.

Ins Wasser gefallen? 23

Sprechen: Gründe angeben: *Ich war nicht im Kino, denn ich gehe lieber ins Theater.*; über das Wetter sprechen: *Es regnet und ist bewölkt.*

Lesen: Blog

Schreiben: Postkarte

Wortfelder: Wetter, Himmelsrichtungen

Grammatik: Wortbildung *-los*; Konjunktion *denn*

▶ 3 37 **1 Sehen Sie das Foto an und hören Sie. Was ist richtig?**
Kreuzen Sie an.

○ Laura und Sandra sind im Urlaub. Das Wetter ist schlecht. Laura hat schlechte Laune. Sandra gibt ihr einen Tee.
○ Laura und Sandra sind im Urlaub. Das Wetter ist nicht schlecht. Laura hat schlechte Laune. Sandra gibt ihr ein Glas Wasser.

2 Urlaub – und es regnet. Was machen Sie und wie geht es Ihnen?
Erzählen Sie.

Ich gehe in ein Café. Mit einem Milchkaffee und einem Stück Kuchen geht es mir gleich viel besser!

• Sonne • Schnee • Regen • Wolke • Wind • Nebel

AB **3** **Es regnet.**

a **Sehen Sie ins Bildlexikon und notieren Sie die passenden Nomen.**

1 Es regnet. der Regen
2 Es schneit. ____________
3 Es ist sonnig. ____________
4 Es ist windig. ____________
5 Es ist bewölkt. ____________
6 Es ist neblig. ____________
7 Es donnert und blitzt. ____________

▶ 3 38-41 **b** **Hören Sie. Wie ist das Wetter? Notieren und vergleichen Sie.**

1 Die Sonne scheint.

Spiel & Spaß

AB **4** **Sandras Problemurlaubs-Blog.**

Diktat

a **Welches Foto passt? Überfliegen Sie die Texte und ordnen Sie zu.**

INS WASSER GEFALLEN? *Sandras Problemurlaubs-Blog*

„Unser Urlaub ist ein Traum!" … „Das Wetter hier ist super!" … „Alles ist perfekt!"
Klingt ziemlich uninteressant, nicht? So was möchten wir selbst erleben, aber von anderen Leuten hören oder lesen wollen wir es nicht. Und Urlaubsfotos vom Super-Badestrand möchten wir bitte auch nicht sehen. Warum auch? Das Internet ist ja schon voll davon.

In diesem Blog sammle ich Bilder und Texte über „Problemurlaube". Ist bei Dir auch schon mal ein Urlaub so richtig ins Wasser gefallen? Dann mach mit und schick mir Deinen Text (nicht mehr als 100 Wörter und am besten mit Foto!).

Ⓐ Der Winter in Österreich war mal wieder viel zu lang und zu hart. Wir hatten Lust auf Frühling. Also haben wir uns ins Wohnmobil gesetzt und sind losgefahren. Unser Ziel war Südtirol, denn dort ist es im März oft schon so warm wie bei uns im Mai. Am ersten Tag war alles perfekt: tolles Wetter, der Himmel wolkenlos, Temperaturen zwischen 18 und 22 Grad. Bis zum späten Nachmittag haben wir auf unseren Campingstühlen in der Sonne gesessen. Am nächsten Morgen wache ich auf und denke: „Warum ist es so kalt hier?" Ich öffne die Tür und habe die Antwort: 15 Zentimeter Neuschnee bei minus zwei Grad. „Tja" habe ich gedacht, „da sind wir wohl nicht weit genug nach Süden gefahren." *Tom und Hanna aus Vöcklabruck*

Ⓑ Unser Sommerurlaub im Schwarzwald war unglaublich. Wir vergessen ihn sicher nie. Wir hatten eine Ferienwohnung in einem schönen alten Haus. Unsere Zimmer waren ganz oben, direkt unter dem Dach. Leider waren wir nur ein paar Stunden in der Wohnung, denn dann ist das Unwetter gekommen: zuerst nur Gewitter mit Regen, aber dann ein Sturm mit bis zu 160 km/h Geschwindigkeit. Es war furchtbar. In nur fünf Minuten war das Hausdach total kaputt. Zum Glück haben wir noch am selben Tag eine andere Wohnung gefunden. *Familie Encke aus Köln*

Ⓒ Letztes Jahr sind wir zum Segeln an die Ostsee gefahren. Es war nur ein Kurzurlaub, aber es war wunderbar, denn wir hatten ein Traumwetter mit viel Sonne und Wind. Dieses Jahr waren wir wieder dort, hatten aber leider Pech: fünf Tage lang kein bisschen Wind, keine Sonne, nur Nebel – alles grau und farblos. Und das bei gerade mal sieben Grad! Zum Glück hatten wir warme Pullover und einen Reiseführer mit (ein paar) brauchbaren Tipps dabei. Nächstes Jahr fahren wir lieber wieder in den Süden, ans Mittelmeer, denn dort ist es auch spät im Herbst noch schön warm. *Beat, Karla und Franca aus Luzern*

Beruf

b Lesen Sie den Blog noch einmal. Was ist richtig? Kreuzen Sie an.

Ⓐ
1 In Südtirol ist es im Frühjahr oft wärmer als in Deutschland. ○
2 Nur am ersten Tag haben Tom und Hanna bei wolkenlosem Himmel in der Sonne gesessen. ○
3 Auch dieses Jahr war der Frühling in Südtirol sehr warm. ○

Ⓑ
1 Familie Encke war im Sommer in einem Hotel im Schwarzwald. ○
2 Ein Sturm hat das Dach kaputt gemacht. ○
3 Die Familie hat nach dem Sturm in einer anderen Wohnung gewohnt. ○

Ⓒ
1 Beat, Karla und Franca waren dieses Jahr im Norden segeln. ○
2 Das Wetter war ein Traum: sonnig und windig. ○
3 Die Tipps aus dem Reiseführer haben sie nicht gebraucht. ○

der Norden, der Westen, der Süden, der Osten
INFO

GRAMMATIK: wolkenlos = ohne Wolken

AB

5 Es war perfekt, denn ...

a Ordnen Sie zu und vergleichen Sie dann mit den Texten A–C.

1 Unser Ziel war Südtirol,
2 Leider waren wir nur ein paar Stunden in der Wohnung,
3 Es war perfekt,
4 Nächstes Jahr fahren wir lieber ans Mittelmeer,

denn wir hatten ein Traumwetter.
denn dort ist es auch im Herbst noch schön warm.
denn dann ist das Unwetter gekommen.
denn dort ist es im März schon oft sehr warm.

GRAMMATIK: Warum? Es war perfekt, denn wir hatten ein Traumwetter.

Spiel & Spaß

b Etwas begründen: Arbeiten Sie zu zweit. Sie arbeiten auf Seite 176. Ihre Partnerin / Ihr Partner arbeitet auf Seite 178.

▶ 3 42-45

6 Wetterassoziationen

interessant?

a An welches Wetter denken Sie? Hören Sie und notieren Sie Stichwörter.

	1	2	3	4
Wie ist das Wetter?	kalt, Schnee ...			
Was machen Sie gerade?				
...				

b Welche Melodie / Welcher Rhythmus gefällt Ihnen am besten? Erzählen Sie.

Mir gefällt Nummer ... am besten, denn dabei denke ich an mein Lieblingswetter. Die Sonne scheint und es ist nicht zu warm. Ich bin im Urlaub in ... Ich lese gerade ein Buch.

7 Eine Postkarte aus dem Urlaub

a **Hannes hat Ihnen aus dem Urlaub eine Postkarte geschrieben. Lesen Sie die Karte und machen Sie Notizen.**

	Hannes	ich
Ort?	auf Kreta	
Wetter?		
Aktivitäten?	Ausflüge, ...	

Liebe/r ...,
wir sind gerade auf Kreta und
haben dieses Jahr wirklich Glück,
denn das Wetter ist ein Traum.
Die Sonne scheint und es gefällt uns richtig gut.
Wir machen Ausflüge oder sind am Meer. Ein
Lieblingsrestaurant haben wir auch schon gefunden.
Dort essen wir fast jeden Abend Fisch: total lecker!
So ist das Leben wunderbar!
Bis bald und liebe Grüße
Hannes

b **Jetzt sind Sie im Urlaub. Machen Sie Notizen zu den Fragen in a.**

c **Schreiben Sie nun eine Karte an Hannes. Denken Sie auch an die Anrede und die Grußformel.**

d **Lesen Sie Ihre Karte noch einmal und überprüfen Sie.**

1 Haben die Verben die richtige Endung?
2 Sind die Wörter richtig geschrieben? Haben Sie alle Nomen großgeschrieben?

Karaoke | Audiotraining

GRAMMATIK

Wortbildung: Adjektive mit -los		
	Nomen	**Adjektiv**
Nomen + -los	die Wolken	wolkenlos (= ohne Wolken)

Konjunktion denn

Es war wunderbar, denn wir hatten ein Traumwetter.

KOMMUNIKATION

Gründe angeben

Unser Ziel war Südtirol, denn dort ist es im März schon oft sehr warm.
Hattest du einen schönen Urlaub?
Ja, denn das Wetter war wunderbar.
Hast du gestern Hausaufgaben gemacht?
Nein, denn ich hatte keine Zeit.

über das Wetter sprechen

Wie ist das Wetter?
Es ist sonnig. | Es regnet. | Es schneit. | Es ist windig. | Es ist bewölkt. | Es ist neblig. | Es donnert und blitzt. | Die Sonne scheint.
Es ist warm. Es sind 25 Grad.
Es ist kalt. Es sind minus 2 Grad.
Es ist kühl. Es sind plus 8 Grad.

Ich würde am liebsten jeden Tag feiern. 24

Sprechen: Wünsche äußern: *Nach der Deutschprüfung würde ich gern …*; gratulieren: *Herzlichen Glückwunsch!*

Lesen: Einladungen

Wortfeld: Feste

Grammatik: Konjunktiv II: *Das würde ich am liebsten jeden Tag machen.*; Ordinalzahlen: *Am vierten Mai.*

▶ 3 46 **1 Das müssen wir unbedingt feiern!**

a Was ist richtig? Sehen Sie das Foto an, hören Sie und kreuzen Sie an.

Nick möchte
- ○ Alisa zu Isabellas Überraschungsparty einladen.
- ○ sein Examen mit Alisa feiern.

Alisa
- ○ hat heute Abend Zeit.
- ○ ist heute Abend schon eingeladen.

b Hören Sie noch einmal und korrigieren Sie die Sätze.

1 Alisa hat den Brief von Nick noch nicht gelesen. ______
2 Gestern hat Isabella ihre Prüfung mit einer Drei bestanden. ______
3 Die Überraschungsparty ist im September. ______
4 Alisa kommt ~~sicher~~ noch heute Abend. *vielleicht*

AB **2** **Wir würden das gern feiern.**

Diktat

a Überfliegen Sie die Texte. Welches Foto passt? Was meinen Sie? (Achten Sie auf die Kleidung.)

(C) 
( ) 
( ) 
( ) 

(A)

25. 12.
Dieses Jahr haben wir den Heiligen Abend bei Tante Lissy gefeiert. Wir, das waren Mama und Papa, Holger, Katrin und ich. Für Katrin war es das erste Fest in unserer Familie und ich muss meinem Bruder wirklich gratulieren: „Gut gemacht! Herzlichen Glückwunsch zu deiner neuen Freundin. Katrin ist wirklich sehr nett."

(B)

Hallo Ihr alle!
Unsere liebe Freundin Isabella hat ihre Abschlussprüfung bestanden! Kommt alle zur Überraschungsparty!
Wohin: Zu Nick und Susanne
Wann: Am Freitag, den 16. Oktober, ab 20 Uhr
Getränke haben wir. Essen müsst Ihr bitte mitbringen.

(C)

KINOGUTSCHEIN

30 Jahre? Boah!
Tja Ronny, jetzt bist Du leider alt, da kann man nichts machen. Oder doch? ☺ Ein bisschen mehr für die Fitness tun, vielleicht? Du kannst gleich anfangen, hihi. Hoffentlich magst Du die Hanteln! ☺ Aber auch entspannen musst Du jetzt natürlich mehr: Hast Du am 4. Mai abends Zeit? Ich würde Dich gern ins Kino einladen.
Herzlichen Glückwunsch!
Deine Freundin
ALISA

(D)

Liebe Alisa,

wir sind glücklich und zufrieden, denn wir haben endlich in Ismaning unser Traumhaus mit Garten gefunden. Wir würden das gern mit Dir feiern: bei unserer Hauseinweihungsparty am Samstag, den 31. Juli, ab 15 Uhr. Kommst Du? Bitte antworte uns bis zum 15. Juli.

Wir würden uns sehr freuen!
Tine und Alejandro

Spiel & Spaß

b Lesen Sie die Texte noch einmal und kreuzen Sie an.

		richtig	falsch
A	Alisa kennt Katrin schon lange.	○	○
B	Isabella weiß nichts von der Party.	○	○
C	Alisa schenkt Ronny einen Gutschein für ein Fitnessstudio.	○	○
D	Tine und Alejandro sind umgezogen.	○	○

• Hochzeit • Einweihungsparty • Karneval • Prüfung bestanden

AB **3** **Am vierten Mai**

Spiel & Spaß

a Markieren Sie das Datum in den Texten in 2. Ergänzen Sie dann in der passenden Form. Hilfe finden Sie in den Tabellen unten.

A Heute ist der ______________________ Dezember.
B Die Überraschungsparty ist am *sechzehnten* Oktober.
C Alisa möchte Ronny am ______________________ Mai ins Kino einladen.
D Die Einweihungsparty ist am ______________________ Juli.

GRAMMATIK
Heute ist der achte Januar.
1.–19.: + -te: der erste / zweite / dritte / vierte / fünfte / sechste / siebte / achte ... Mai
ab 20. + -ste: der zwanzigste / einundzwanzigste ... Dezember

GRAMMATIK
Am achte**n** Januar.
Vom achte**n** bis (zum) achtzehnte**n** Januar.

interessant?

b Über Feste sprechen: meine drei Lieblingsfeste. Arbeiten Sie zu dritt auf Seite 177.

AB **4** **Glückwünsche und Geschenke**

Spiel & Spaß

a Welches Fest passt zu den Glückwünschen? Sehen Sie ins Bildlexikon und notieren Sie.

1 *Herzlichen Glückwunsch!* *Geburtstag, Hochzeit, ...*
2 *Gutes/Frohes neues Jahr!* ...
3 *Frohe Weihnachten!* ...
4 *Gut gemacht!* ...
5 *Alles Gute!* ...

b Was schenken/bekommen Sie gern? Sprechen Sie.

■ Am liebsten bekomme ich Konzerttickets, denn ich liebe Musik, und Konzerte sind immer besser als CDs.
▲ Ich schenke gern ...

AB **5** **Wir würden das gern mit dir feiern.**

GRAMMATIK
Wünsche
ich / er/sie würde gern mit dir feiern

a Was bedeuten die Sätze? Kreuzen Sie an.

1 Ich würde dich gern ins Kino einladen.
2 Wir würden das gern mit dir feiern.

○ Wir gehen ins Kino. Ich freue mich.
○ Ich möchte mit dir ins Kino gehen. Hast du Zeit?
○ Du kommst zu der Feier. Das finden wir schön.
○ Wir möchten gern mit dir feiern. Kommst du?

b Arbeiten Sie zu dritt. Was würden Sie am liebsten jeden Tag machen? Notieren und erzählen Sie.

ich	*Maria*	*Fatima*
spät aufstehen, Geld gewinnen, ...		

■ Ich würde gern jeden Morgen spät aufstehen.
▲ Oh ja, das würde ich auch gern. Und du? Was würdest du am liebsten jeden Tag machen?

6 **Träume: Was würden Sie gern machen? Arbeiten Sie auf Seite 177.**

24 MINI-PROJEKT

7 Feste in den deutschsprachigen Ländern

interessant?

a Arbeiten Sie in Gruppen. Wählen Sie ein Fest aus Deutschland / Österreich / der Schweiz und ergänzen Sie den Fragebogen. Recherchieren Sie im Internet.

Wie heißt das Fest?	Silvester
Wann ist das Fest?	am 31.12.
Mit wem feiert man?	mit Freunden, Bekannten oder Verwandten
Wo feiert man?	zu Hause, bei Freunden, in Diskotheken, draußen ...
Was trinkt/isst man?	Sekt um 24.00 Uhr, ...
Was macht man?	tanzen, gemeinsam essen, ...
Was ist noch wichtig?	das Feuerwerk um 24 Uhr, ...

b Erzählen Sie im Kurs.

Das Fest ist Silvester. Das feiert man am 31. Dezember. ...

Audiotraining

Karaoke

GRAMMATIK

Ordinalzahlen: Datum

Heute ist der achte Januar.

1.–19.: + -te:	ab 20.: + -ste:
der erste	der zwanzigste
der zweite	der einundzwanzigste
der dritte	...
der vierte	
der fünfte	
der sechste	
der siebte	
der achte	
der neunte	
...	

Wann?

Am achte**n** Januar.
Vom achte**n** bis (zum) achtzehnte**n** Januar.

Wünsche: Konjunktiv II

ich	würde	
du	würdest	
er/es/sie	würde	gern mit dir feiern
wir	würden	
ihr	würdet	
sie/Sie	würden	

KOMMUNIKATION

Wünsche äußern

Im Sommer würde ich gern eine Reise machen. Am liebsten nach Las Vegas.
Ich möchte gern ...

gratulieren

Herzlichen Glückwunsch!
Frohe Weihnachten!
Gutes/Frohes neues Jahr!
Gut gemacht!
Alles Gute!

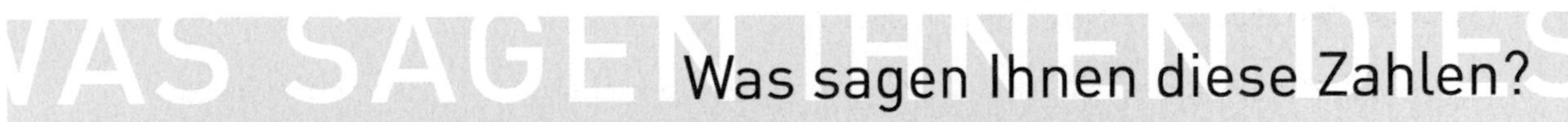

Was sagen Ihnen diese Zahlen?

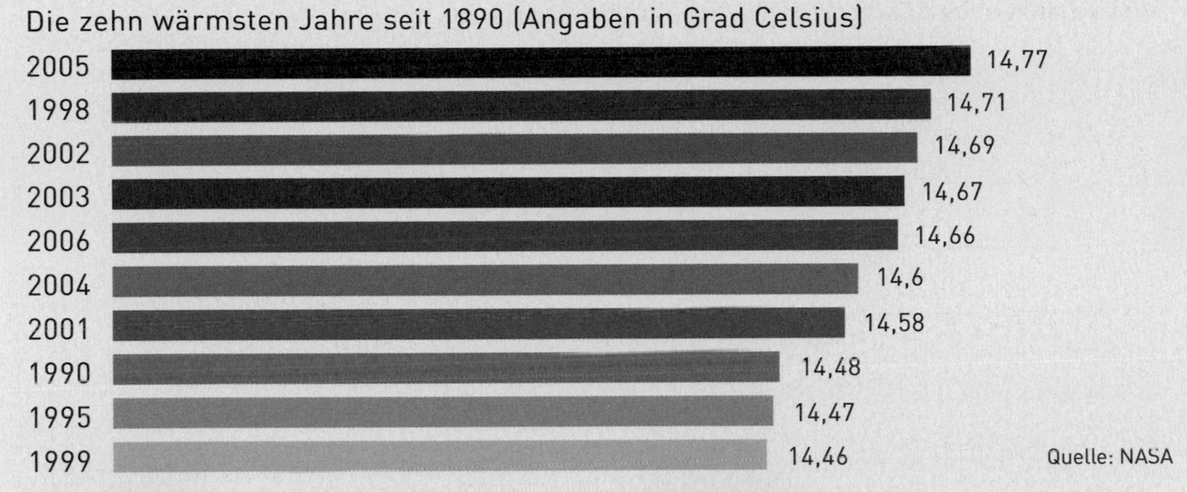

Sonja Zimmerer ist 28 und arbeitet als Chefsekretärin bei einem Speditionsunternehmen in Köln.

Was sagt schon so ein Diagramm? Gar nichts. Klimawandel hat es immer wieder gegeben. Das ist wirklich nichts Besonderes. Auch früher war es mal heißer und mal kälter. Auch früher hat es mal mehr geregnet und mal weniger. Das ist total natürlich. Denken wir bloß an die Eiszeit: Damals ist kein Mensch mit dem Auto gefahren, oder? Und doch ist es auf der Welt zuerst sehr viel kälter geworden und dann, nach ein paar Tausend Jahren, wieder sehr viel wärmer. Die meisten Menschen machen sich jetzt Sorgen ums Klima und um die Zukunft. Das finde ich total falsch, denn in Wirklichkeit geht es hier doch nur um Geld und Politik und nicht um die Wissenschaft. Da sind wahnsinnig viele Interessen im Spiel. Ich habe jedenfalls keine Angst vor dem Klimawandel, denn wir Menschen können mit jedem Wetter gut leben.

Arwed Finke ist 24 und studiert Politikwissenschaften an der Ludwig-Maximilians-Universität in München.

In dem Diagramm geht es um einen Zeitraum von 125 Jahren (1890 bis 2005). Und die zehn wärmsten Jahre sind genau in den letzten 20 Jahren. Wer mag da noch an einen Zufall glauben? Nein, es ist total klar: Der Klimawandel ist eine Tatsache. Und wir Menschen haben ihn gemacht und machen ihn jeden Tag schlimmer. Es gibt auch noch viele andere Daten über die Klimaveränderung auf unserem Planeten und alle sagen leider genau das Gleiche: Der Klimawandel kommt viel schneller als wir gedacht haben und er ist viel stärker als wir befürchtet haben. Was sollen wir tun? Ganz einfach: Wir dürfen nicht mehr so weiterleben wie in den vergangenen 150 Jahren, denn sonst machen wir unsere Welt kaputt.

1 Wer meint was? Lesen Sie und kreuzen Sie an.

	Sonja Zimmerer	Arwed Finke
a Ich mache mir keine Sorgen um das Klima.	○	○
b Unterschiedliche Temperaturen sind normal.	○	○
c Der Klimawandel kommt sehr schnell.	○	○
d Wir müssen besser auf die Umwelt achten.	○	○
e Wir müssen unser Leben nicht verändern.	○	○

2 Und Sie? Welche Meinung finden Sie richtig? Die von Sonja Zimmerer oder die von Arwed Finke?

▶ Clip 22 **1 Am besten gefällt mir sein Hut.**

a Was passt? Sehen Sie die Modenschau und ordnen Sie zu.

○ Das ist total sportlich. | ○ Das Kleid ist sehr elegant. | ○ Am besten gefällt mir sein Hut. | ○ Mehr Farbe wäre besser. | ○ Die Farbe passt auch sehr gut zu ihr. | ① Das sieht wahnsinnig gut aus. | ○ Die Bluse ist schön, aber der Rock geht gar nicht.

b Wie gefällt Ihnen die Kleidung? Schreiben Sie zu jedem Foto ein bis zwei Sätze.

▶ Clip 23 **2 Blick auf Bern. – Was ist richtig? Sehen Sie die Reportage und kreuzen Sie an.**

a In der Schweiz regnet es heute, aber es ist warm. ○
b Auf dem Aussichtsturm hat man heute keine gute Sicht. ○
c Bei gutem Wetter kann man im Norden Bern sehen. ○
d Bern ist die größte Stadt in der Schweiz. ○
e Im Osten liegt das Berner Seeland. ○
f Im Süden und Osten liegt das Berner Oberland. ○
g Viele Berge sind über 4000 Meter hoch. ○

▶ Clip 24 **3 Die Auer Dult**

a Sehen Sie die Reportage und ergänzen Sie.

1 In welcher Stadt ist die Auer Dult?
In ____________________.
2 Wie lange gibt es die Auer Dult schon?
Seit über ___ Jahren.
3 Wie oft im Jahr gibt es die Auer Dult? ____________________

b Welche Wünsche haben Lilian und Oliver? Kreuzen Sie an.

	LILIAN	OLIVER
Autoscooter fahren	○	○
über den Jahrmarkt gehen und gucken	○	○
etwas essen	○	○
schießen	○	○

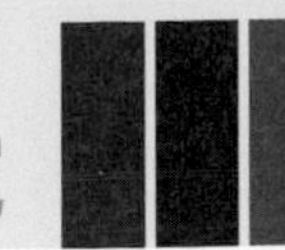

1 Lesen Sie die Informationen auf der Webseite und ergänzen Sie die Tabelle.

www.mottopartys.info

– HERZLICH WILLKOMMEN AUF UNSERER WEBSEITE! –

Ihr wollt eine Motto-Party feiern, das heißt, eine Party zu einem bestimmten Thema? Dann seid Ihr hier genau richtig! Denn auf dieser Seite findet Ihr ganz viele Themenvorschläge. Und damit Eure Party ein voller Erfolg wird, haben wir für Euch Ideen zu diesen Fragen gesammelt:

- Wie sieht die Einladung zu Eurer Party aus?
- Wie dekoriert Ihr den Raum am besten?
- Welche Kleidung passt zum Motto?
- Was könnt Ihr zu essen und zu trinken anbieten?
- Welche Musik gibt es zu Eurem Motto?
- Und nicht zuletzt: Was wäre eine Party ohne Programm? Ihr findet hier auch noch viele lustige Spielvorschläge!

Wir wünschen Euch viel Spaß bei Eurer Party und freuen uns auf Euer Feedback!

Eure Event-Managerinnen Nick und Anja

Strand-Party

Die Einladung bringt Ihr den Gästen am besten in einer Flaschenpost vorbei oder Ihr schickt ihnen einen Brief und gebt etwas Sand in den Umschlag. Sand ist bei einer Strand-Party natürlich auch ganz wichtig für die Dekoration: Den Party-Raum könnt ihr mit Sand dekorieren und Liegestühle aufstellen.
Und nicht vergessen: ein Planschbecken darf nicht fehlen. Bei einer Strand-Motto-Party könnt Ihr Bikinis, Badeanzüge oder Badehosen anziehen.
Essen und Getränke sollten exotisch sein: Bietet Fruchtcocktails zu trinken und Toast Hawaii zu essen an. Das ist nicht teuer und schmeckt jedem. Darf es ein bisschen teurer sein? Dann macht ein Fischbuffet. Als Musik passt Salsa – das sorgt für eine tolle Stimmung. Ein Luftballon-Darts ist das perfekte Spiel für Strand-Partys.

Einladung	Flaschenpost, ...	Essen/Getränke	
Dekoration		Musik	
Kleidung		Programm	

2 Planen Sie eine Motto-Party im Kurs.

a Arbeiten Sie in Gruppen: Wählen Sie ein Motto und sammeln Sie Ideen zu Dekoration, Kleidung, Essen/Getränken, Musik, Programm.

b Präsentieren Sie Ihre Ideen im Kurs und stimmen Sie ab.

> **Motto:** 20er-Jahre-Party
> **Dekoration:** ...

c Wählen Sie ein Datum aus und feiern Sie Ihre Motto-Party im Kurs.

Besser oder mehr?

Sie hat ___________ Glück als ich.
Sie sieht viel ___________ aus.
Sie hat den teuersten Schmuck.
Sie wohnt im Luxushaus.
Sie hat ___________ Glück als ich.
Sie hat sogar 'nen Chauffeur!
Ich will so sein wie sie,
denn sie hat mehr, mehr, mehr …

Er hat ___________ Glück als ich.
Sein Haus gefällt mir ___________.
Er hat den tollsten Job.
Ich möcht' so leben wie er.
Er hat ___________ Glück als ich.
Ich will so sein wie er.
Er hat ___________ Geld als ich.
Er ist ein Millionär.

Solche Sätze machen mich ___________.
Immer wenn ich so etwas hör', dann denk' ich:
Hast du denn wirklich keine Fantasie?
Ist ‚___________' für dich immer nur ‚___________'?

Solche Sätze finde ich ___________.
Immer wenn ich so etwas hör', dann denk' ich:
Hast du denn wirklich keine Fantasie?
Ist ‚___________' wirklich immer nur ‚___________'?

▶ 3 47 **1 Ergänzen Sie. Hören Sie dann das Lied und vergleichen Sie.**

besser | mehr | schöner | mehr | besser | mehr | traurig | mehr | traurig | mehr | sehr | mehr | mehr

▶ 3 47 **2 Hören Sie noch einmal und singen Sie mit.**

KB | S. 13 **Lektion 1 6b**

du oder *Sie*?

Würfeln Sie, fragen und antworten Sie.

Ⓐ

= informell: *du*

- ■ Wie heißt du?
- ▲ Ich heiße Ewa.
- ■ Woher kommst du, Ewa?
- ▲ Ich komme aus …

Ⓑ

= formell: *Sie*

- ■ Wie heißen Sie?
- ▲ Ich heiße Ewa Kowska.
- ■ Woher kommen Sie, Frau Kowska?
- ▲ Ich komme aus …

KB | S. 13 **Lektion 1 8**

Nach dem Befinden fragen: Schreiben Sie Namensschilder und sprechen Sie.

Ⓐ **Sie sind auf einer Konferenz.**
Vorname und Familienname →
Sagen Sie *Sie!*

- ■ Guten Tag, Frau Riemann.
  Wie geht es Ihnen?
- ▲ Danke, gut. Und Ihnen?
- ■ Auch gut.

Ⓑ **Sie sind auf einer Party.**
Vorname →
Sagen Sie *du!*

- ■ Hallo, Nathalie! Wie geht's?
- ▲ Sehr gut, und dir?
- ■ Es geht.

KB | S. 17 

Zahlen üben: Machen Sie Zahlenreihen.

Variante: Machen Sie Rätsel. Welche Zahl fehlt?

- ■ 2 – 4 – 6 –
- ▲ 10
- ■ Falsch. ~~falsch~~
- ▲ 8
- ■ Richtig. ✓richtig

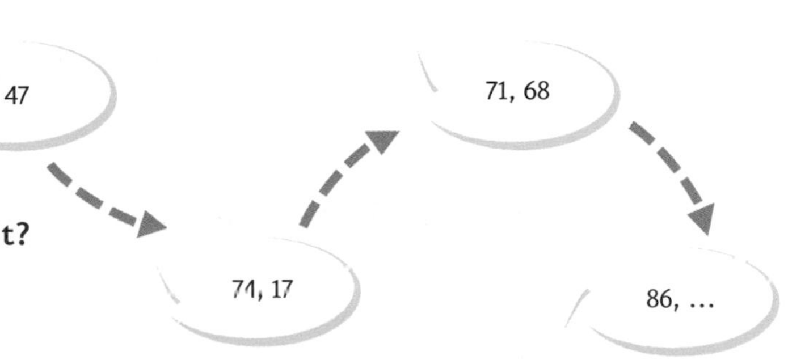

KB | S. 17 

Lektion 2 3d

Was haben Sie gemeinsam?

- Überlegen Sie mit Ihrer Partnerin / Ihrem Partner: In welcher deutschen Stadt wohnen Sie? Was arbeiten Sie?
- Fragen Sie jetzt die anderen Paare im Kurs. Hat jemand etwas mit Ihnen gemeinsam?

KOMMUNIKATION

Wo wohnt ihr? Wir wohnen in ...
Was arbeitet ihr? Wir arbeiten als ...

KB | S. 16 Lektion 2 2d

Ein Internet-Profil schreiben

a Ergänzen Sie Ihr Internet-Profil.

Name: ____________________

Ausbildung und Beruf
Schule: ____________________
Hochschule/Universität: ____________________
Arbeitgeber: ____________________
Stelle: ____________________

b Arbeiten Sie zu zweit. Ergänzen Sie das Profil für Ihre Partnerin / Ihren Partner.

Name: ____________________

Ausbildung und Beruf
Schule: ____________________
Hochschule/Universität: ____________________
Arbeitgeber: ____________________
Stelle: ____________________

Was machst du beruflich?

KB | S. 13 

Bekannte Persönlichkeiten Partner A

Wer ist das? Und woher kommt er/sie?

Fragen Sie Ihre Partnerin / Ihren Partner und ergänzen Sie die fehlenden Informationen.

- ■ Wer ist das?
- ▲ Das ist Angela Merkel. Woher kommt sie?
- ■ Sie kommt aus Deutschland.

	Name	kommt aus ...
a	Angela Merkel	Deutschland
b		Österreich
c	Johann Wolfgang von Goethe	
d		Ägypten
e	Agatha Christie	
f		Indien
g	Pablo Picasso	

Auflösung zu Seite 22:

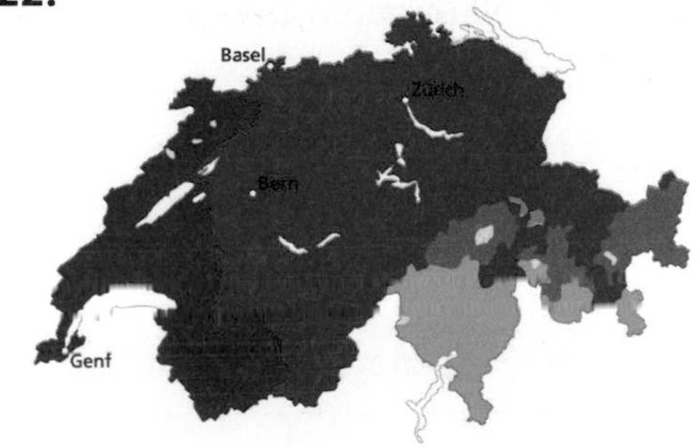

KB | S. 20 **Lektion 3 4b**

Wie gut kennen Sie die Personen in *Menschen*?

a Sehen Sie die Fotos an. Schreiben Sie 8 bis 10 W-Fragen zu den Personen auf Karten.

b

① Mischen Sie die Karten und legen Sie sie auf einen Stapel.

② Person A zieht eine Karte und beantwortet die Frage.

③ Ist die Antwort richtig? Person A behält die Karte.

④ Ist die Antwort falsch? Die Karte kommt wieder unter den Stapel.

⑤ Jetzt ist Person B an der Reihe.

⑥ Gewonnen hat die Person mit den meisten Karten.

KB | S. 20 **Lektion 3 5b**

ja – nein – doch üben

a Schreiben Sie einen Steckbrief zu einem Familienmitglied, Freund oder Kollegen. Machen Sie zwei falsche Angaben.

STECKBRIEF

Name: ______	Wohnort: ______
Herkunft: ______	Beruf: ______
Familienstand: ______	Alter: ______

b Ihre Partnerin / Ihr Partner fragt und sucht die falschen Angaben.
Würfeln Sie eine 1, 3 oder 5: Fragen Sie so:

■ Ist dein Bruder verheiratet?

▲ Ja, mein Bruder ist verheiratet. ▲ Nein, mein Bruder ist nicht verheiratet.

Würfeln Sie eine 2, 4 oder 6: Fragen Sie mit *nicht*:

■ Dein Bruder ist nicht verheiratet, oder?

▲ Doch, mein Bruder ist verheiratet. ▲ Ja, genau. Mein Bruder ist nicht verheiratet.

KB | S. 13 

Bekannte Persönlichkeiten Partner B

Wer ist das? Und woher kommt er/sie?
Fragen Sie Ihre Partnerin / Ihren Partner und ergänzen Sie die fehlenden Informationen.

- ■ Wer ist das?
- ▲ Das ist Angela Merkel. Woher kommt sie?
- ■ Sie kommt aus Deutschland.

	Name	kommt aus ...
a	Angela Merkel	Deutschland
b	Wolfgang Amadeus Mozart	
c		Deutschland
d	Cleopatra	
e		Großbritannien
f	Mahatma Gandhi	
g		Spanien

Stellen Sie andere Personen vor.

Partner A

a **Lesen Sie Ihrer Partnerin / Ihrem Partner die Texte vor.**
Verstehen Sie ein Wort nicht? Hilfe finden Sie im Bildlexikon oder im Wörterbuch.

Sonja Wilkens ist Krankenschwester und 32 Jahre alt. Sie ist nicht verheiratet und hat ein Kind. Sie wohnt in Leipzig.

Bo Martinson kommt aus Schweden und wohnt in Essen. Er ist 50, hat zwei Kinder und ist verheiratet. Er arbeitet als Ingenieur.

Peter und Franziska sind 28 und 25 Jahre alt. Sie sind nicht verheiratet, aber sie leben zusammen in Wolfsburg. Sie arbeiten bei VW und haben keine Kinder.

b **Ihre Partnerin / Ihr Partner liest Ihnen nun drei Texte vor.**
Hören Sie und kreuzen Sie an: richtig oder falsch?

	richtig	falsch
1 Helga Stiemer ist 69.	○	○
2 Sie ist arbeitslos.	○	○
3 Sie ist verheiratet.	○	○
4 Sie hat zwei Kinder.	○	○
5 Sie wohnt in München.	○	○

	richtig	falsch
6 Carlos kommt aus Portugal.	○	○
7 Er ist 32 Jahre alt.	○	○
8 Er studiert in Kiel.	○	○
9 Er ist verheiratet.	○	○
10 Er hat keine Kinder.	○	○
11 Astrid und Norbert sind geschieden.	○	○
12 Norbert und die Kinder leben in Hamburg.	○	○
13 Sie leben zusammen.	○	○
14 Astrid ist 32 und Norbert ist 37.	○	○

Variante:
Machen Sie zu zweit ähnliche Aufgaben und arbeiten Sie mit einem anderen Paar zusammen.

KB | S. 29 **Lektion 4 6b**

Nach Preisen fragen und Preise nennen

a Sie haben ein Möbelhaus.
Was kostet bei Ihnen der Tisch, der Stuhl ...? Notieren Sie die Preise.

b Was kosten die Möbel bei Ihrer Partnerin / Ihrem Partner? Fragen Sie und notieren Sie die Preise.

- ■ Was kostet denn der Tisch / die Lampe / ...?
- ▲ Der Tisch / Die ... kostet ... (Das ist ein Sonderangebot.)
- ■ ... Euro? Das ist aber (sehr) teuer/günstig.

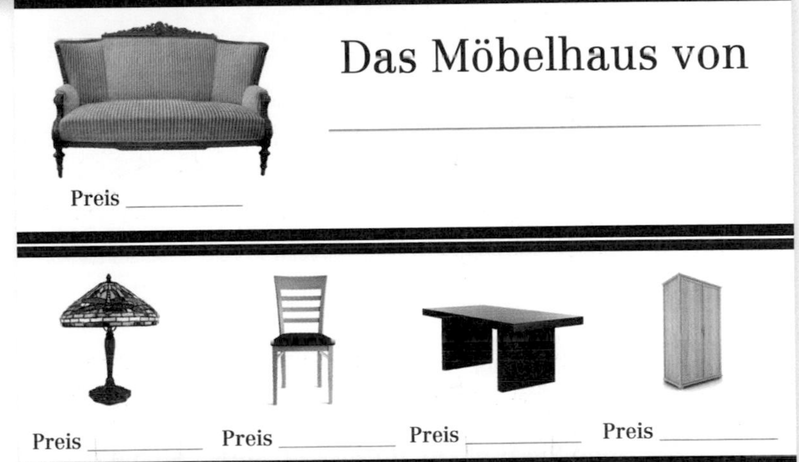

KB | S. 29 **Lektion 4 7b**

Puzzle: Was kostet der Schrank?

Setzen Sie das Puzzle zusammen. Vergleichen Sie dann mit Ihrer Partnerin / Ihrem Partner.

- ■ Der Schrank kostet 79,90 Euro, oder?
- ▲ Ja, er kostet 79,90 Euro.

KB | S. 29 **Lektion 4 | 9**

Etwas bewerten

Wie finden Sie die Hotelzimmer? Sprechen Sie.

schön | hässlich | (nicht mehr) modern | praktisch | groß | klein | ...

- ■ Wie findest du Zimmer A?
- ▲ Ich finde Zimmer A schön. Das Bett ist modern und der Schrank ist praktisch.
- ■ ☺ Das finde ich auch.
- ■ ☹ Das finde ich nicht. Der Schrank in Zimmer A ist zu groß.

KB | S. 48 **Lektion 8 | 5b**

Uhrzeiten

Zeichnen Sie fünf Uhrzeiten und sprechen Sie.

- ■ Wie spät ist es? / Wie viel Uhr ist es?
- ▲ Es ist halb sechs / siebzehn Uhr dreißig.

Variante:

„Schreiben" Sie Uhrzeiten auf den Rücken Ihrer Partnerin / Ihres Partners. Wie spät ist es?

- ■ Wie spät ist es? / Wie viel Uhr ist es?
- ▲ Es ist Viertel vor drei / vierzehn Uhr fünfundvierzig.
- ■ Ja, genau.

KB | S. 45 **Lektion 7 | 9**

Aktivitäten-Bingo

Wer macht was wie oft?
Suchen Sie Personen im Kurs und notieren Sie die Namen. Wer hat zuerst fünf Personen?

Möglichkeit 1: senkrecht

Möglichkeit 2: waagerecht

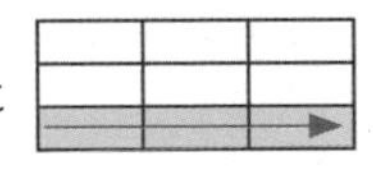

Möglichkeit 3: diagonal

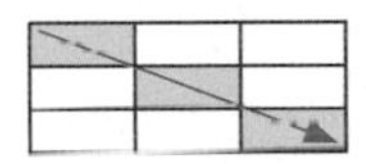

■ Spielst du sehr oft Fußball?
▲ Ja, ich spiele sehr oft Fußball.
● Nein, ich spiele nur manchmal Fußball.

▲ Wie oft schwimmst du?
■ Ich schwimme fast nie.

sehr oft	oft	manchmal	fast nie	nie
schwimmen	tanzen	lesen	Ski fahren	singen
Fußball spielen	E-Mails schreiben	kochen	Musik hören	Auto fahren
Freunde treffen	spazieren gehen	fotografieren	malen	rauchen
Rad fahren	Musik machen	Ausflüge machen	Gitarre spielen	im Internet surfen
Tennis spielen	telefonieren	Schach spielen	Freunde besuchen	Radio hören

Stellen Sie andere Personen vor.

Partner B

a **Ihre Partnerin / Ihr Partner liest Ihnen drei Texte vor. Hören Sie und kreuzen Sie an: richtig oder falsch?**

		richtig	falsch
1	Sonja Wilkens ist Krankenschwester.	○	○
2	Sie ist 33 Jahre alt.	○	○
3	Sie ist verheiratet.	○	○
4	Sie hat keine Kinder.	○	○
5	Sie wohnt in Leipzig.	○	○
6	Bo Martinson kommt aus Norwegen.	○	○
7	Er wohnt in Essen.	○	○
8	Er ist 51 Jahre alt.	○	○
9	Er hat drei Kinder.	○	○
10	Er arbeitet als Journalist.	○	○
11	Peter und Franziska sind 28 und 27.	○	○
12	Sie sind geschieden.	○	○
13	Sie wohnen in Wolfsburg.	○	○
14	Sie arbeiten bei VW.	○	○
15	Sie haben zwei Kinder.	○	○

b **Lesen Sie nun Ihrer Partnerin / Ihrem Partner die Texte vor. Verstehen Sie ein Wort nicht? Hilfe finden Sie im Bildlexikon oder im Wörterbuch.**

Helga Stiemer ist 67 und Rentnerin. Sie ist verheiratet und hat drei Kinder. Sie wohnt in München.

Carlos kommt aus Spanien und wohnt in Kiel. Er ist 23 Jahre alt und studiert an der Universität. Er ist nicht verheiratet und hat keine Kinder.

Astrid und Norbert sind nicht verheiratet, sie sind geschieden. Astrid lebt in Hannover und Norbert und die Kinder leben in Hamburg. Astrid ist 32 und Norbert ist 37 Jahre alt.

Variante:
Machen Sie zu zweit ähnliche Aufgaben und arbeiten Sie mit einem anderen Paar zusammen.

KB | S. 37 **Lektion 6** 6c

der Stuhl – die Stühle

Finden Sie die Unterschiede auf den zwei Bildern und sprechen Sie mit Ihrer Partnerin / Ihrem Partner.

- ■ Auf Bild A sind drei Stühle. Auf Bild B sind nur zwei Stühle.
- ▲ Ja, und auf Bild A …

KB | S. 44 **Lektion 7** 6b

Wer kann was? Partner A

**Fragen Sie Ihre Partnerin / Ihren Partner und ergänzen Sie.
Verstehen Sie ein Wort nicht? Sehen Sie im Bildlexikon nach.**

- ■ Können Felix und Katja kochen?
- ▲ Ja, Felix und Katja können super kochen.

	Leo	Felix und Katja	Josefine	Frau Lehmann	Ich	Meine Partnerin / Mein Partner
kochen	nicht so gut	super	toll	gar nicht		
singen		nicht		sehr gut		
malen	gar nicht					
Schach spielen			gar nicht			
Ski fahren		nicht	super			
Fußball spielen	sehr gut	toll				
backen		gut	ein bisschen	nicht		
Gitarre spielen	gut			gut		

Kurs-Auktion: Produkte beschreiben

a **Lesen Sie die Produktinformation und ergänzen Sie.**

eckig | Plastik | rot

b **Was möchten Sie „versteigern"?**
Wählen Sie im Kursraum einen Gegenstand und notieren Sie wichtige Informationen.

c **Spielen Sie die Auktion:**
Beschreiben Sie „Ihr" Produkt, die anderen bieten. Wer bietet am meisten?

- ■ Hier: eine super Kette! Sie ist aus Plastik und sehr leicht! Sie ist rot und sehr modern. Der Startpreis ist nur 1 Euro!
- ▲ Ich biete 1 Euro 50!
- ● Und ich biete 3 Euro!
- ■ Anja bekommt die Kette für 3 Euro!

KOMMUNIKATION

Hier: ein/eine super ...! / Hier ist ...!
Er/Es/Sie ist aus ... (*Material*)
Er/Es/Sie ist (extrem/sehr) ... (*Form/Farbe/Eigenschaft: schön, modern ...*)
Der Startpreis ist (nur) ... Euro.

KB | S. 33 

Nach Wörtern fragen

a Wählen Sie eine Rolle und sprechen Sie.

A	B
Wählen Sie einen Gegenstand. Fragen Sie Ihre Partnerin / Ihren Partner: Wie heißt das auf Deutsch?	Sehen Sie im Wörterbuch nach und antworten Sie.

■ Entschuldigung. Wie heißt das auf Deutsch?

▲ Das ist ein Ring.

■ Wie bitte? / Noch einmal, bitte.

▲ Das ist ein Ring.

■ Wie schreibt man Ring?

▲ R-I-N-G.

■ Danke.

▲ Bitteschön. / Bitte. (Gern.) / Kein Problem.

So sprechen Sie das Wort:

der **Ring** [rɪŋ]; -[e]s, -e: **1.** *gleichmäßig runder, in sich geschlossener Gegenstand in der Form eines Kreises:* einen goldenen Ring am Finger tragen. *Zus.:* Armring, Dichtungsring, Fingerring, Gardinenring, Goldring, Gummiring, Metallring, Ohrring, Schlüsselring, Silberring.

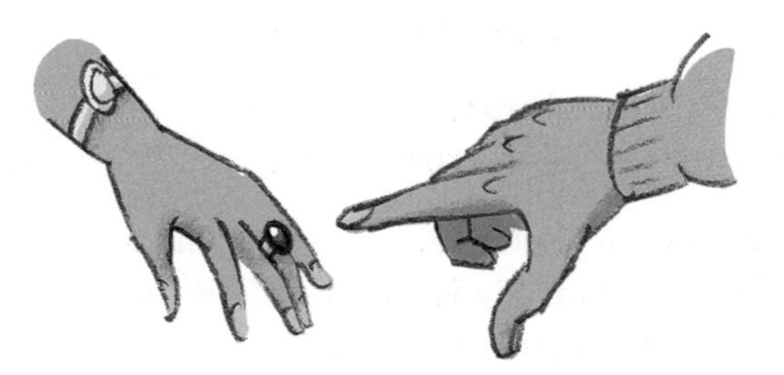

b Tauschen Sie die Rollen.

Wer kann was?

Partner B

Fragen Sie Ihre Partnerin / Ihren Partner und ergänzen Sie. Verstehen Sie ein Wort nicht? Sehen Sie im Bildlexikon nach.

■ Kann Leo kochen?
▲ Nein, Leo kann nicht so gut kochen.

	Leo	Felix und Katja	Josefine	Frau Lehmann	Ich	Meine Partnerin / Mein Partner
kochen	nicht so gut	super				
singen	super		sehr gut			
malen		gar nicht	super	ein bisschen		
Schach spielen	ein bisschen	gut		super		
Ski fahren	toll			nicht		
Fußball spielen			nicht	toll		
backen	nicht					
Gitarre spielen		nicht so gut	gar nicht			

KB | S. 49 **Lektion 8** 6c

Verabreden Sie sich im Chat.
Schreiben Sie zu zweit einen Chat. Ergänzen Sie auch Ihren Profilnamen.

________: Was machst du ________________________________?

________: Das weiß ________________________________ nicht.

________: Lust auf ________________________________?

________: Nöö. Keine ________________________________.

________: Gehen ________________________________?

________: ____________! Wann ________________________________?

________: Um ________________________________?

________: Okay. Dann bis ________________________________?

________: Ja, ________________________________?

Variante:
Schreiben Sie zu zweit einen eigenen Chat.

KB | S. 61

Lektion 10 | 6

Wann kommst du an?

Partner A

a **Fragen Sie Ihre Partnerin / Ihren Partner und notieren Sie die Antworten. Achten Sie auf die richtige Satzstellung.**

■ Wann kommst du an?
▲ Ich komme um 12 Uhr 45 an.

1 ankommen – wann – du	Um 12:45 Uhr.
2 wo – der Zug – abfahren	Auf Gleis ___.
3 mich – anrufen – wann – du	Heute ________.
4 aussteigen – wo – wir	Am ______________________.
5 einkaufen – ihr – was	__________ und __________.

b **Ihre Partnerin / Ihr Partner stellt jetzt Fragen. Suchen Sie die passende Antwort.**

■ Wo steigst du ein?
▲ Ich steige auf Gleis 10 ein.

um 11:30 Uhr – ankommen – der Zug

einsteigen – ich – auf Gleis 10

er – in – aussteigen – München

einkaufen – ich – Obst – Brot – und

fernsehen  – wir – Abend – heute – um 20 Uhr

KB | S. 69

Lektion 12 | 5

Marc feiert gern! Was hat er letzte Woche gemacht?

Partner A

Fragen Sie Ihre Partnerin / Ihren Partner und ergänzen Sie die fehlenden Informationen.

Montag	Dienstag	Mittwoch	Donnerstag	Freitag	Samstag	Sonntag
19:00 Geburtstag (Köln / Taxi fahren)		18:00 Abschiedsparty (Wien / Bus fahren)	20:00 Konzert (Berlin / Zug fahren)		16:00 Hochzeit (Türkei / fliegen)	

■ Wo war Marc am …?
▲ Am … war er in der Türkei / in Köln / …
■ Was hat er dort gemacht?
▲ Er ist in ein Konzert gegangen / hat Geburtstag gefeiert / …
■ Wie ist er in die … / nach … gekommen?
▲ Er ist geflogen / Auto/Taxi gefahren / …

KB | S. 49 **Lektion 8** 7c

Sich verabreden

Partner A

Verabreden Sie sich für eine Stunde mit Ihrer Partnerin / Ihrem Partner. Was wollen Sie machen und wann treffen Sie sich?

	Montag	Dienstag	Mittwoch	Donnerstag	Freitag	Samstag	Sonntag
8:00							
9:00							
10:00							
11:00			Ausstellung (Chris)				
12:00	Uni				Uni		
13:00			Schwimmbad/ Sauna				
14:00		Uni					
15:00						Ausflug an die Nordsee	Berlin: Oma Geburtstag 70!!!
16:00				Uni			
17:00							
18:00							
19:00			jobben im Café		jobben im Café		
20:00		Fußball					
21:00							
22:00							
23:00							
24:00							

■ Vielleicht können wir mal wieder ins Café gehen?

▲ Ja, gern. / Ja, gute Idee!

■ Hast du am Montag Zeit?

▲ Wann denn?

■ Am Abend um 19 Uhr?

▲ Nein, leider nicht. Am Montagabend gehe ich mit Sonja ins Kino.

■ Und am …?

▲ Ja, am … habe ich Zeit.

■ Schön, dann bis …

▲ Ja, bis dann.

Möchten Sie noch etwas ...?

a Planen Sie gemeinsam.

- Wer sind Sie? Sind Sie Kollegen, Nachbarn, Freunde, ...?
- Wer lädt ein? Wer ist der Gast?
- Was kochen Sie?
- Was schenkt der Gast?

Gast: Jutta (Kollegin)
Vorspeise: Eiersalat
Hauptgericht: Fisch mit Zwiebeln
Dessert: Zitroneneis
Gast schenkt: Schokolade

b Spielen Sie kleine Szenen.

■ Bitte sehr.
▲ Oh, vielen Dank. / Herzlichen Dank. / Danke schön.
■ Was ist das?
▲ Das ist ... Mögen Sie ...? / Essen Sie ... gern?
■ Ich weiß nicht. ... kenne ich nicht. / Ja, sehr gern. / Ja, ... ist mein Lieblingsessen.
▲ Guten Appetit.
■ Danke, gleichfalls/ebenfalls. ... schmeckt sehr gut.
▲ Danke schön. / Möchten Sie noch etwas ...?
■ Ja, gern. / Oh ja, bitte. / Nein, danke.
▲ Möchten Sie einen Kaffee / ...?
■ Oh ja, gern. / Ja, bitte. / Nein, danke.

KB | S. 69 **Lektion 12 | 5**

Marc feiert gern! Was hat er letzte Woche gemacht?

Partner B

Fragen Sie Ihre Partnerin / Ihren Partner und ergänzen Sie die fehlenden Informationen.

Montag	Dienstag	Mittwoch	Donnerstag	Freitag	Samstag	Sonntag
	19:30 Konzert (Schweiz / fliegen)			21:00 Einweihungsparty (Hamburg / mit André fahren)		15:00 Oma Geburtstag (Bonn / Auto fahren)

■ Wo war Marc am …?

▲ Am … war er in der Türkei / in Köln / …

■ Was hat er dort gemacht?

▲ Er ist in ein Konzert gegangen / hat Geburtstag gefeiert / …

■ Wie ist er in die … / nach … gekommen?

▲ Er ist geflogen / Auto/Taxi gefahren / …

KB | S. 61 **Lektion 10 | 9**

Würfelspiel: Wo steigst du um?

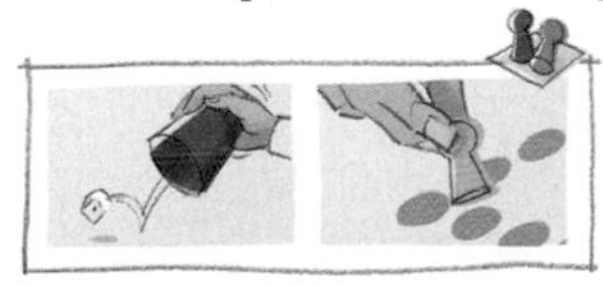

Würfeln Sie und ziehen Sie mit Ihrer Spielfigur. Machen Sie einen Satz. Die anderen überprüfen. Ist der Satz richtig, bekommen Sie einen Punkt. Spielen Sie 10 Minuten. Wer hat die meisten Punkte?

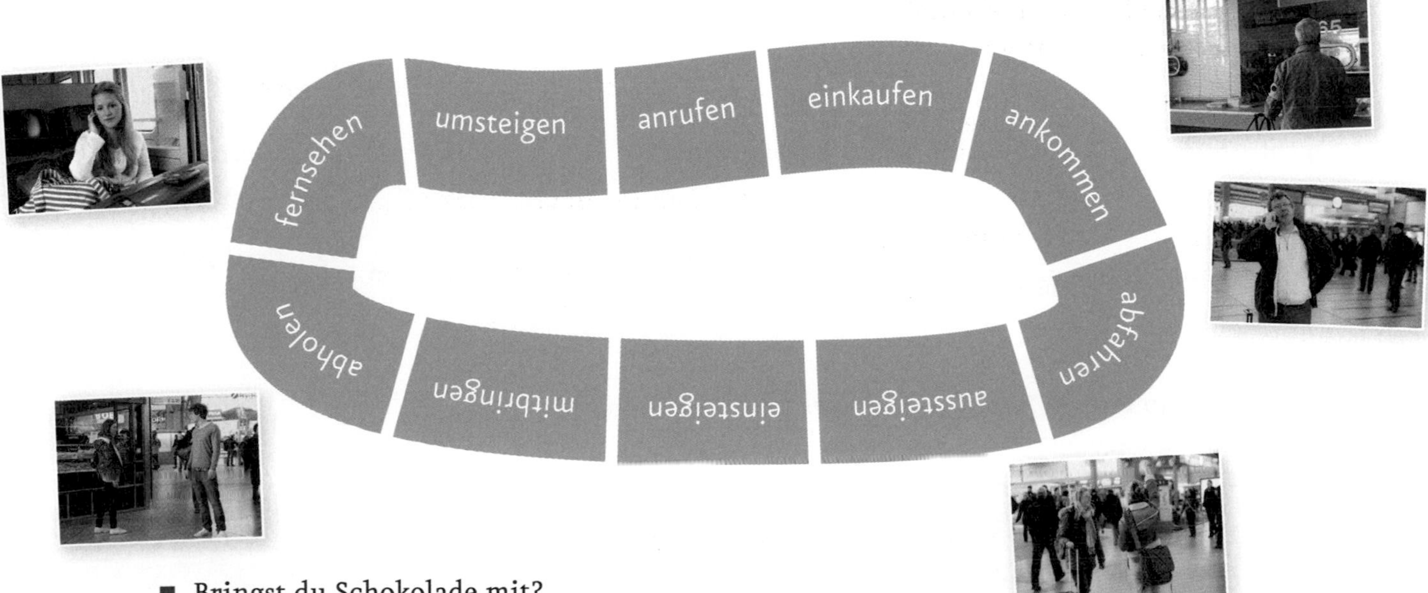

■ Bringst du Schokolade mit?

▲ Gut, der Satz ist richtig. Du bekommst einen Punkt.

Aktivitäten-Bingo

a **Lesen Sie den Fragebogen in b und notieren Sie die richtige Perfektform. Sehen Sie im Wörterbuch nach.**

Perfekt im Wörterbuch

le|sen ['le:zn̩], liest, las, gelesen ‹tr.; hat; etw. l.›: **1.** *einen Text mit den Augen und dem Verstand erfassen:* ein Buch, einen Brief, Zeitung lesen; ‹auch itr.› in einem Lexikon lesen. ...

frühstücken gefrühstückt
essen ____________
lesen ____________
fernsehen ____________
...

b **Wer hat was wann gemacht?**
Suchen Sie Personen im Kurs und notieren Sie die Namen. Wer hat zuerst fünf Personen?

Variante 1: senkrecht

Variante 2: waagerecht

Variante 3: diagonal

gestern	letzten Freitag	letzten Samstag	letzten Sonntag	letzte Woche
lange frühstücken	bei Freunden essen	Zeitung lesen	fern|sehen	Kuchen essen
Fußball spielen	E-Mails schreiben	Mittagessen kochen	Musik hören	ein|kaufen
lange schlafen	auf|räumen	einen Film sehen	keinen Kaffee trinken	Deutsch lernen
nicht arbeiten	Frühstück machen	nicht frühstücken	eine Freundin an|rufen	im Internet surfen
ein Buch lesen	keine Mittagspause machen	Hausaufgaben machen	Freunde ein|laden	ein Geschenk kaufen

■ Hast du letzten Freitag E-Mails geschrieben?
▲ Ja, ich habe letzten Freitag E-Mails geschrieben.
● Nein, letzten Freitag habe ich keine E-Mails geschrieben.

■ Hast du letzten Sonntag keinen Kaffee getrunken?
▲ Doch, ich trinke am Sonntag immer Kaffee.

	schlafen
ich	schlafe
du	schläfst
er/sie	schläft

INFO

KB | S. 49 **Lektion 8** 7c

Sich verabreden

Partner B

Verabreden Sie sich für eine Stunde mit Ihrer Partnerin / Ihrem Partner.
Was wollen Sie machen und wann treffen Sie sich?

	Montag	Dienstag	Mittwoch	Donnerstag	Freitag	Samstag	Sonntag
8:00							
9:00	Büro	Büro	Büro	Büro	Büro		
10:00	Büro	Büro	Büro	Büro	Büro		Tennis mit Astrid
11:00	Büro	Büro	Büro	Büro	Büro		
12:00	Büro	Büro	Büro	Büro	Büro		
13:00	Büro	Büro	Büro	Büro	Büro		
14:00	Büro	Büro	Büro	Büro	Büro		
15:00	Büro	Büro	Büro	Büro	Büro		
16:00	Büro	Büro	Büro	Büro	Büro		
17:00							
18:00			Tennis				
19:00	Sonja: Kino		Tennis			kochen mit Timo und Lisa	
20:00	Sonja: Kino		Tennis			kochen mit Timo und Lisa	
21:00	Sonja: Kino					Konzert	
22:00	Sonja: Kino					Konzert	
23:00							
24:00							

■ Vielleicht können wir mal wieder ins Café gehen?

▲ Ja, gern. / Ja, gute Idee!

■ Hast du am Montag Zeit?

▲ Wann denn?

■ Am Abend um 19 Uhr?

▲ Nein, leider nicht. Am Montagabend gehe ich mit Sonja ins Kino.

■ Und am …?

▲ Ja, am … habe ich Zeit.

■ Schön, dann bis …

▲ Ja, bis dann.

Wann kommst du an?

Partner B

a Ihre Partnerin / Ihr Partner stellt Fragen. Suchen Sie die passende Antwort. Achten Sie auf die richtige Satzstellung.

■ Wann kommst du an?
▲ Ich komme um 12 Uhr 45 an.

anrufen  – ich – heute Abend – dich

auf Gleis 12 – abfahren – der Zug

einkaufen  – und – Butter – Brot – wir

am Hauptbahnhof – aussteigen  – wir

um – ankommen – ich – 12:45 Uhr

b Fragen Sie jetzt Ihre Partnerin / Ihren Partner und notieren Sie die Antworten.

■ Wo steigst du ein?
▲ Ich steige auf Gleis 10 ein.

1 einsteigen – wo – du	Auf Gleis 10.
2 wann – der Zug – ankommen	Um ______
3 fernsehen – wann – ihr – heute	Heute ______
4 aussteigen – wo – er	______
5 einkaufen – du – was	______ und ______

KB | S. 69 
Lektion 12 | 7

Besondere Aktivitäten: Hast du schon einmal …?

bin geschwommen
bin gesegelt
bin gesprungen
INFO

a Schreiben Sie zu zweit die Fragen.

	Frage	Name
1 Karneval feiern	Hast du schon einmal Karneval gefeiert?	
2 nach Australien fliegen		
3 Pyramiden von Gizeh sehen		
4 im Pazifik schwimmen		
5 über die Nordsee segeln		
6 nach Berlin fahren		
7 Käsefondue essen		
8 Fallschirm springen		
9 Weißbier trinken		

b Wer hat das schon gemacht?
Fragen Sie im Kurs und notieren Sie die Namen. Finden Sie zu jeder Aktivität mindestens eine Person?

KB | S. 65 **Lektion 11 | 7**

Eine E-Mail schreiben

a Lesen Sie Davids Kalender und schreiben Sie zu zweit eine E-Mail.

	MONTAG 29.05.	DIENSTAG 30.05.
08^{00}	8:30 – 10:30 Büro / arbeiten	
09^{00}		
10^{00}	10:30 – 11:00 Termin Dr. Gregarek	
11^{00}		
12^{00}	12:30 – 13.30 mit Lutz essen	
13^{00}	13:30 – 16:00 Büro / arbeiten	
14^{00}		
15^{00}		
16^{00}	16:00 – 17:00 einkaufen	
17^{00}		
18^{00}	18:30 Fußball spielen	
19^{00}		
20^{00}		

NOTIZEN:
Lena anrufen – Geburtstag!

Betreff: Wie geht's?

Lieber David,
geht's Dir gut? Gibt's was Neues? Was hast Du denn heute alles gemacht?
Liebe Grüße
Sabine

Betreff: Re: Wie geht's?

Liebe Sabine,

also, von ________ bis ________ habe ich ________________.
Und ________________ hatte ich einen Termin mit
________________. Dann ________ ich ________________
________________.
Wir haben uns ja lange nicht gesehen und hatten viel Spaß ☺.
Am Nachmittag ________________
und dann ________________.
Und am Abend ________________.
Ach ja, und ________________ Lena ________________.
Sie hat heute ja ________________.

Und Du, was hast Du gemacht?

Liebe Grüße
David

b Und Sie? Was haben Sie heute / gestern / letzte Woche gemacht? Schreiben Sie eine E-Mail an Ihre Partnerin / Ihren Partner.

KB | S. 77 Lektion 13 6

Wo ist Laura?

Bauen Sie „Bilder". Die anderen beschreiben.

Variante: **Beschreiben Sie „Bilder". Die anderen bauen sie.**

Laura ist zwischen den Tischen. Marius ist hinter der Tür.

KB | S. 85 Lektion 15 5c

Urlaubsorte bewerten – Wem gefällt was?

Partner A

Fragen Sie Ihre Partnerin / Ihren Partner und ergänzen Sie die fehlenden Informationen.

■ Wo macht Peter oft Urlaub?
▲ In Frankreich.
■ Was gefällt ihm in Frankreich besonders?
▲ Ihm gefallen die Schlösser besonders gut.

	Urlaubsort – wo?	Was gefällt …?
Peter	Frankreich	
Saskia	Schweiz	die Berge
Familie Müller		
Frau Neumann	Paris	die Geschäfte
Herr Hansen		
Silvia und André	Schweden	das Meer
Len		
Anna	Kanada	die Menschen
Sie		
Ihre Partnerin / Ihr Partner		

Einen Weg beschreiben: Wie gut ist Ihr Gedächtnis?

a Arbeiten Sie zu zweit.

Partner B

Sehen Sie die Karte zwei Minuten lang genau an.
Schließen Sie dann das Buch.

Wählen Sie aus der Karte ein Ziel und fragen Sie nach dem Weg.

Entschuldigung! Ich suche das Hotel Schmid.

Beschreiben Sie den Weg aus Ihrem Gedächtnis.

Das ist ganz leicht. Sie gehen geradeaus und dann ...

Markieren Sie den Weg in Ihrer Karte. War die Beschreibung richtig?

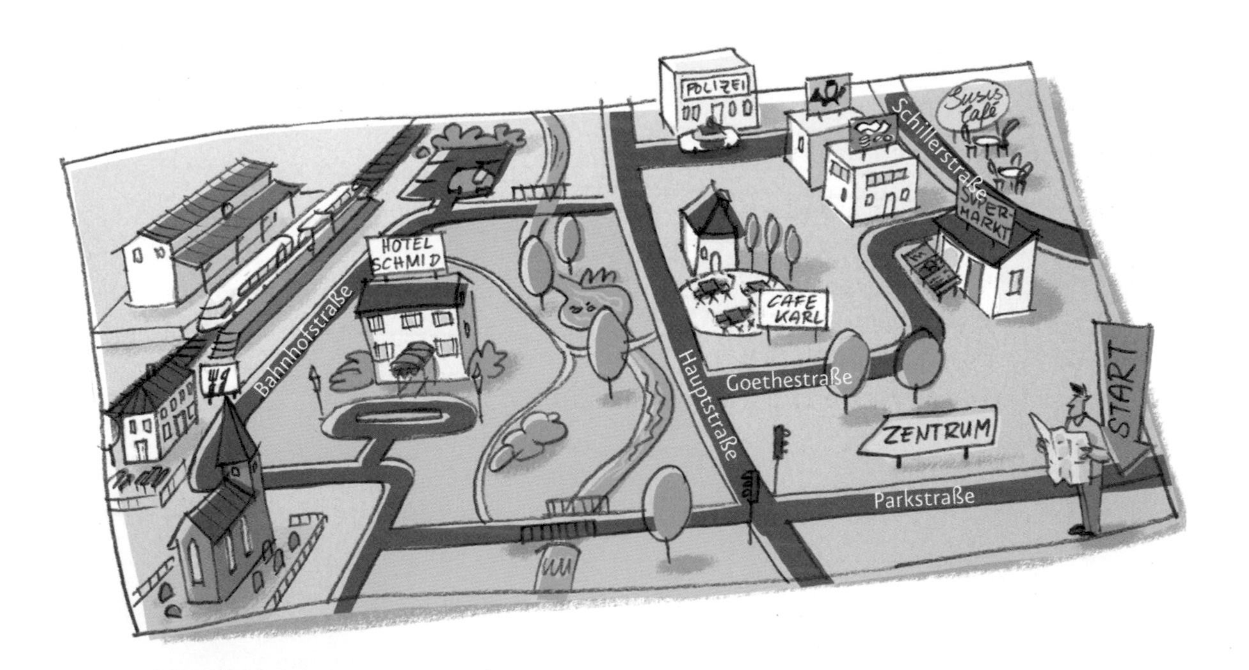

b Tauschen Sie nun die Rollen.

KB | S. 81 **Lektion 14 | 7**

Gehört das Sonja oder Peter?
Sehen Sie die Bilder an. Was meinen Sie: Was gehört Sonja, was Peter? Beschreiben Sie die Gegenstände.

- ■ Ich glaube, das sind Sonjas Stühle. Sie sind aus Holz und ihr Tisch in der Küche ist auch aus Holz.
- ▲ Ja, das glaube ich auch. Und das Auto? Ist das Sonjas oder Peters Auto?
- ■ Ich glaube, das ist ...

KB | S. 101 **Lektion 18 | 6**

Umfrage im Kurs: Wie gesund lebst du?

a **Arbeiten Sie zu dritt und schreiben Sie Fragen.**

1. Wie oft machst du Sport? ______________
2. Isst du jeden Tag Obst? ______________
3. Wie oft gehst du in die Sauna? ______________
4. Um wie viel Uhr gehst du schlafen? ______________
5. ______________? ______________
6. ______________? ______________
7. ______________? ______________
8. ______________? ______________

...

b **Befragen Sie eine Person aus einer anderen Gruppe und notieren Sie die Antworten.**

c **Erzählen Sie in Ihrer Gruppe von dem Ergebnis.**

... macht fast nie Sport. Aber sie geht oft in die Sauna. Sie ...

Häuser beschreiben: Mein Traumhaus

a Wie sieht Ihr Traumhaus aus? Kreuzen Sie an oder ergänzen Sie.

Das Haus steht …

○ am Meer ○ in den Bergen ○ im Wald ○ ____________

Vor dem Haus ist …

○ ein Swimmingpool ○ ein Fußballplatz ○ ein Freizeitpark ○ ____________

Im Garten gibt es …

○ viele Blumen ○ viele Bäume ○ einen Fluss ○ ____________

Das Haus ist …

○ eine alte Fabrik ○ ein Leuchtturm ○ ein altes Bauernhaus ○ ____________

Es hat …

○ viele große Fenster ○ viele Balkone ○ eine Terrasse ○ ____________

Neben dem Haus steht …

○ eine Garage ○ ein Stall ○ ein Zelt ○ ____________

Ich wohne dort …

○ allein ○ mit meiner Familie ○ mit meinen Freunden ○ ____________

Was ist Ihnen noch wichtig? ____________________________

**b Beschreiben Sie Ihr Haus.
Ihre Partnerin / Ihr Partner zeichnet.**

Mein Traumhaus steht in den Bergen. Vor dem Haus …

**c Machen Sie eine Ausstellung.
Welches Haus gefällt Ihnen am besten?**

KB | S. 85

Urlaubsorte bewerten – Wem gefällt was?

Partner B

Fragen Sie Ihre Partnerin / Ihren Partner und ergänzen Sie die fehlenden Informationen.

- ■ Wo macht Peter oft Urlaub?
- ▲ In Frankreich.
- ■ Was gefällt ihm in Frankreich besonders?
- ▲ Ihm gefallen die Schlösser besonders gut.

	Urlaubsort – wo?	Was gefällt ...?
Peter	Frankreich	die Schlösser
Saskia	Schweiz	
Familie Müller	Italien	die Märkte
Frau Neumann		
Herr Hansen	Wien	der Dom
Silvia und André		
Len	Athen	die Cafés
Anna		
Sie		
Ihre Partnerin / Ihr Partner		

Rollenspiel: im Hotel um Hilfe bitten

Wählen Sie zu zweit eine Situation und spielen Sie Gespräche.

Variante: **Denken Sie sich eine neue Situation aus.**

Situation 1

Gast	Angestellte/r im Hotel
Die Heizung funktioniert nicht.	Sie schicken einen Techniker. Wann hat der Techniker Zeit? Das wissen Sie nicht.

Situation 2

Gast	Angestellte/r im Hotel
Es gibt keine Handtücher.	Sie sagen dem Zimmermädchen Bescheid. Das Zimmermädchen bringt sofort Handtücher in das Zimmer.

Situation 3

Gast	Angestellte/r im Hotel
Der Fernseher ist kaputt.	Sie kümmern sich darum. Der Techniker kommt heute Nachmittag.

Entschuldigen Sie, können Sie mir helfen? /
Ich habe ein Problem: Ich brauche Ihre Hilfe.

↘ Ja, gern. Was kann ich für Sie tun? /
Wie kann ich Ihnen helfen?

↙ … ist kaputt / funktioniert nicht. /
Es gibt kein/e/en …

↘ Oh, das tut mir leid. Ich kümmere mich darum.

↙ Wann …?

↘ Das kann ich Ihnen nicht sagen. Vielleicht … /
Um …
Der Techniker / Das Zimmermädchen kommt sofort.

↙ Super, vielen Dank! / Sehr nett, danke!

↘ Bitte. / Sehr gern.

KB | S. 93  Lektion 16 | 8

Einen Termin verschieben

a Lesen Sie zu zweit Carolas Kalender und ergänzen Sie.

1 Für wie lange fährt Carola nach Berlin? — Für drei Tage.
2 Wann hat Carola am Donnerstag Zeit? — _______ _______ Uni und _______ _______ Spanischkurs.
3 An welchem Tag hat Carola keine Termine? — _______ Freitag.
4 Wann hat Carola am Samstag Zeit? — _______ 14.00 Uhr.
5 Ab wann hat Carola Urlaub? — _______ Sonntag.
6 Für wie lange fährt Carola in den Urlaub? — _______ _______ Woche.
7 Wann kommt Carola zurück? — Am Sonntag _______ _______ Woche.

	Montag	Dienstag	Mittwoch	Donnerstag	Freitag	Samstag	Sonntag
8:00							
9:00							
10:00							
11:00				Uni			
12:00							
13:00							
14:00		Tagung in Berlin					
15:00							ab heute eine
16:00							Woche Urlaub
17:00							auf Sylt
18:00						Oma und	
19:00	Kino mit					Opa	
20:00	Steffi					besuchen	
21:00							
22:00				Spanischkurs			
23:00							
24:00							

b Sie möchten den Termin mit Steffi verschieben. Schreiben Sie gemeinsam eine E-Mail.

KOMMUNIKATION

Termine verschieben
Ich kann leider doch nicht ins Kino gehen / kommen.
Ich möchte den Termin verschieben.
Können wir den Termin verschieben?

Pläne beschreiben
Von … bis … bin ich in Berlin.
Vor/Nach dem Spanischkurs / der Uni …
Ab … bin ich für … im Urlaub.
In … bin ich aus dem Urlaub zurück.

Alternativen vorschlagen
Ich kann am …
Am … habe ich Zeit.
Passt Dir das? / Passt es dir am …?
Wollen wir am … ins Kino gehen?
Hast Du Lust?

KB | S. 97 Lektion 17 4b

Was nehmen Sie in den Urlaub mit: *mit* oder *ohne* … ?

a Was nehmen Sie immer/nie in den Urlaub mit?
Notieren Sie jeweils drei Gegenstände. Arbeiten Sie auch mit dem Wörterbuch.

immer: ______________________________

nie: ______________________________

b Schreiben Sie.

Ich fahre nie ohne mein Handy in den Urlaub.
Ich fahre nie mit meinem Laptop in den Urlaub.

c Arbeiten Sie in Gruppen und erzählen Sie.

■ Ich fahre nie ohne mein Handy in den Urlaub. Und du?
▲ Ich schon. Ich fahre manchmal ohne Handy weg.
● Ich auch nicht. Aber ich …

▲ Ich fahre nie mit dem Auto in den Urlaub.
● Ich schon. Das finde ich praktisch.
■ Ich auch nicht.

KB | S. 109 **Lektion 19** 5

Personen beschreiben: früher und heute

Partner A

a Wie war Simone vor 20 Jahren? Wie ist sie heute?
Sprechen Sie mit Ihrer Partnerin / Ihrem Partner und notieren Sie.

	Simone Rech vor 20 Jahren	**heute**
Beruf:	Sekretärin	Yoga-Lehrerin
Familie:	ledig	
Lebt in:	Stuttgart	
Hobbys:	Musik hören	
Aussehen:	blonde, kurze Haare, Brille	

- ■ Vor 20 Jahren war Simone Sekretärin. Was ist sie heute?
- ▲ Heute ist sie Yoga-Lehrerin.
- ■ Früher war Simone ...

b Wie war Klaus vor 20 Jahren? Wie ist er heute?
Sprechen Sie mit Ihrer Partnerin / Ihrem Partner und notieren Sie.

	Klaus Wecker vor 20 Jahren	**heute**
Beruf:	Bürokaufmann	Musiker
Familie:		geschieden
Lebt in:		Neu Delhi
Hobbys:		kochen, Fahrrad fahren
Aussehen:		lange Haare, Bart

c Und Sie? Ergänzen Sie und sprechen Sie mit Ihrer Partnerin / Ihrem Partner.

	Sie vor 10 Jahren	**heute**
Beruf/Schule:		
Familie:		
Lebe in:		
Hobbys:		
Aussehen:		

Über Wünsche und Pläne sprechen

a Arbeiten Sie mit dem Wörterbuch und notieren Sie.

Was willst du beruflich machen?	unbedingt noch	
	auf keinen Fall	
Welche Pläne/Wünsche hast du für deine Familie?	unbedingt noch	
	auf keinen Fall	
Welche Pläne/Wünsche hast du für deine Freizeit?	unbedingt noch	
	auf keinen Fall	
Was willst du lernen?	unbedingt noch	
	auf keinen Fall	
Was willst du im Urlaub machen?	unbedingt noch	
	auf keinen Fall	
Du hast viel Geld. Was willst du kaufen?	unbedingt noch	
	auf keinen Fall	

b Arbeiten Sie in Gruppen und erzählen Sie. Haben Sie etwas gemeinsam?

■ Was willst du beruflich unbedingt noch machen?
▲ Ich will unbedingt noch Schauspielerin werden.
● Und was willst du auf keinen Fall machen?
▲ Ich will auf keinen Fall ...

KB | S. 100 **Lektion 18** 3b

Gesundheits-Forum: Ratschläge geben

Lesen Sie die Beiträge im Gesundheitsforum. Arbeiten Sie zu zweit und schreiben Sie zwei Ratschläge zu jedem Beitrag. Hilfe finden Sie im Bildlexikon.

Hallo,
ich kann seit drei Monaten nicht mehr richtig schlafen. Ich war auch schon beim Arzt, aber er hat nichts gefunden. Wer hat einen Tipp?
Philipp

> *Hallo Philipp,*
> *trinken Sie viel Tee oder Wasser! Nehmen Sie auch Vitamin C.*
> *Sara*

Hallo,
mein Mann hat schon seit sechs Wochen Kopfschmerzen!
Wer kann helfen?
Tina

> *Hallo Tina,*
> *ich denke, Ihr Mann soll zum Arzt gehen. Sechs Wochen sind zu lang.*
> *Bernd*

viel Obst essen | Sport machen | keinen Kaffee trinken | nicht so viel arbeiten | viel spazieren gehen | ein Rezept beim Arzt holen | Tabletten/Medikamente nehmen | ...

KB | S. 113 **Lektion 20** 8

Jemanden auffordern: Putz es doch bitte!

Sie kommen aus dem Urlaub zurück. Keiner hat aufgeräumt!

a **Sehen Sie das Bild an und schreiben Sie zu zweit Ihrer Mitbewohnerin / Ihrem Mitbewohner fünf Sätze. Was soll sie/er tun?**

Das Bad ist schmutzig! Putz es doch bitte!
Die Wäsche ...

b **Tauschen Sie Ihre Sätze mit einem anderen Paar. Korrigieren Sie gegenseitig Ihre Sätze.**

Personen beschreiben: früher und heute

Partner B

a Wie war Simone vor 20 Jahren? Wie ist sie heute?
Sprechen Sie mit Ihrer Partnerin / Ihrem Partner und notieren Sie.

	Simone Rech vor 20 Jahren	heute
Beruf:	Sekretärin	Yoga-Lehrerin
Familie:		geschieden
Lebt in:		Innsbruck
Hobbys:		malen, spazieren gehen
Aussehen:		lange, braune Haare / keine Brille

- ■ Vor 20 Jahren war Simone Sekretärin. Was ist sie heute?
- ▲ Heute ist sie Yoga-Lehrerin.
- ■ Früher war Simone ...

b Wie war Klaus vor 20 Jahren? Wie ist er heute?
Sprechen Sie mit Ihrer Partnerin / Ihrem Partner und notieren Sie.

	Klaus Wecker vor 20 Jahren	heute
Beruf:	Bürokaufmann	Musiker
Familie:	verheiratet	
Lebt in:	Luzern	
Hobbys:	tanzen	
Aussehen:	kurze Haare, kein Bart	

c Und Sie? Ergänzen Sie und sprechen Sie mit Ihrer Partnerin / Ihrem Partner.

	Sie vor 10 Jahren	heute
Beruf/Schule:		
Familie:		
Lebe in:		
Hobbys:		
Aussehen:		

KB | S. 117 **Lektion 21 | 7**

Mal ehrlich: Welche Regeln akzeptieren Sie?

a Lesen Sie den Fragebogen. Was machen Sie in den Situationen? Notieren Sie.

b Was meinen Sie? Wie reagiert Ihre Partnerin / Ihr Partner? Notieren Sie.

Variante: Denken Sie sich weitere Situationen aus.

Mal ehrlich? Welche Regeln akzeptieren Sie?	Ich	Meine Partnerin / Mein Partner
Situation 1 Sie sind in einer Bibliothek. Über Ihnen ist dieses Schild: Ihr Handy klingelt. Was machen Sie? 1) Ich mache es sofort aus. 2) Ich telefoniere ganz leise. 3) ...	telefoniere vor der Bibliothek	telefoniert ganz leise
Situation 2 Sie wollen heute Abend mit Freunden am See grillen und haben auch schon alles gekauft: Würste, Salate ... Am See sehen Sie dann aber dieses Schild: GRILLEN VERBOTEN! Was machen Sie? 1) Sie grillen. Für Sie ist das kein Problem. 2) Sie grillen nicht. Schade! 3) ...		
Situation 3 Sie sind im Urlaub und wollen unbedingt im Meer baden. Leider sehen Sie am Meer dieses Schild: BADEN VERBOTEN! Was machen Sie? 1) Natürlich bade ich! 2) Ich bade nicht. Vielleicht gibt es ja Haie. 3) ...		

c Sprechen Sie mit Ihrer Partnerin / Ihrem Partner und vergleichen Sie. Haben Sie richtig vermutet?

■ Was machst du in Situation 1?
▲ Ich telefoniere nicht in der Bibliothek. Das finde ich nicht in Ordnung. Ich telefoniere vor der Bibliothek. Und du? Was machst du?
■ Ich telefoniere ganz leise. Ich finde das nicht so schlimm.

KB | S. 125 **Lektion 22** 7

Kleidung beschreiben: Mein Lieblings-Kleidungsstück

a Machen Sie Notizen zu den Fragen.

Was gefällt mir an dem Kleidungsstück am besten? ______________________
Wo habe ich es gekauft? ______________________
War es ein Geschenk? ______________________
Wie lange habe ich es schon? ______________________
Wann habe ich es zuletzt angezogen? ______________________
Was möchte ich noch erzählen? ______________________

b Machen Sie ein Plakat. Machen Sie ein Foto von Ihrem Lieblings-Kleidungsstück und schreiben Sie einen Text.

Mein Lieblingskleidungsstück ist ein T-Shirt. Ich habe viele T-Shirts, aber das hier gefällt mir am besten. Ich habe es auf einem Konzert in Berlin gekauft. Ich ziehe es oft an, zuletzt am Montag. Es ist schon acht Jahre alt, aber die Band „Mondschein" höre ich immer noch gern. Die Musik ist einfach super.

KB | S. 129 **Lektion 23** 5b

Etwas begründen:

Partner A

Ergänzen Sie Ihre Spalte und fragen Sie dann Ihre Partnerin / Ihren Partner.

	Celine	Malte	Ich	Meine Partnerin / Mein Partner
Hatte … einen schönen Urlaub?	☺ Wetter war wunderbar	☹ Wetter war schlecht		
War … gestern im Restaurant?		☹ das ist zu teuer		
War … letztes Wochenende im Kino?	☹ geht lieber ins Theater			
Hat … gestern Hausaufgaben gemacht?		☹ hatte keine Zeit		
Hatte … gestern gute Laune?	☺ hat nicht gearbeitet			
Hat … letzte Woche gearbeitet?		☹ hatte Urlaub		

- ■ Hatte Celine einen schönen Urlaub?
- ▲ Ja, denn das Wetter war wunderbar. Hatte Malte einen schönen Urlaub?
- ■ Nein, denn das Wetter war schlecht.

KB | S. 133 **Lektion 24 | 3b**

Meine drei Lieblingsfeste

a Was feiern Sie gern? Notieren Sie. Hilfe finden Sie im Bildlexikon und im Wörterbuch.

Meine Lieblingsfeste	Wann?	Was mache ich?
mein Geburtstag ...	15.06.	Party, tanzen ...

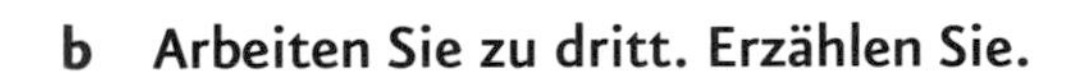

b Arbeiten Sie zu dritt. Erzählen Sie.

- ■ Am liebsten feiere ich meinen Geburtstag.
- ▲ Wann hast du Geburtstag?
- ■ Am 15. Juni.
- ● Und was machst du am liebsten?
- ■ Ich mache am liebsten eine Party. Wir tanzen und ...
- ▲ Und was feierst du noch gern?
- ■ ...

KB | S. 133 **Lektion 24 | 6**

Träume. Was würden Sie gern machen? Sie haben viel Geld und viel Zeit.

Notieren Sie Stichwörter und fragen Sie anschließend Ihre Partnerin / Ihren Partner.

	Ich	Meine Partnerin / Mein Partner
an meinem nächsten Geburtstag	eine Reise machen, nach Indien fahren, mit meiner Freundin ...	Party, in Las Vegas ...
nach der Deutschprüfung		
im nächsten Urlaub		
im Sommer		
nächstes Wochenende		
...		

- ■ Was würdest du gern an deinem nächsten Geburtstag machen?
- ▲ Ich würde gern eine Reise machen. Am liebsten nach Indien.
- ■ Würdest du allein reisen?
- ▲ Nein, ich würde am liebsten meine Freundin mitnehmen. Und du?
- ■ Ich würde gern meine Freunde einladen und eine Party feiern. Am liebsten in Las Vegas.

Etwas begründen: Partner B

Ergänzen Sie Ihre Spalte und fragen Sie dann Ihre Partnerin / Ihren Partner.

	Celine	Malte	Ich	Meine Partnerin / Mein Partner
Hatte … einen schönen Urlaub?	☺ Wetter war wunderbar	☹ Wetter war schlecht		
War … gestern im Restaurant?	☺ hat nichts im Kühlschrank			
War … letztes Wochenende im Kino?		☺ liebt Kinofilme		
Hat … gestern Hausaufgaben gemacht?	☹ hatte keine Lust			
Hatte … gestern gute Laune?		☺ hat die Prüfung geschafft		
Hat … letzte Woche gearbeitet?	☺ ihre Kollegin war krank			

- ■ Hatte Celine einen schönen Urlaub?
- ▲ Ja, denn das Wetter war wunderbar. Hatte Malte einen schönen Urlaub?
- ■ Nein, denn das Wetter war schlecht.

WORTLISTE

Die alphabetische Wortliste enthält die neuen Wörter dieses Buches mit Angabe der Seiten, auf denen sie das erste Mal vorkommen. Wörter, die für die Prüfungen der Niveaustufen A1, A2 und B1 nicht verlangt werden, sind kursiv gedruckt. Bei allen Wörtern ist der Wortakzent gekennzeichnet: Ein Punkt (a) heißt kurzer Vokal, ein Unterstrich (a) heißt langer Vokal. Nomen mit der Angabe (Sg.) verwendet man (meist) nur im Singular. Nomen mit der Angabe (Pl.) verwendet man (meist) nur im Plural. Trennbare Verben sind durch einen Punkt nach der Vorsilbe gekennzeichnet (ab·fahren).

die (Ehe)Frau, -en 21
der (Ehe)Mann, ¨er 21
die(Lügen-)Geschichte, -n 109
das(Musik)Instrument, -e 97
die 20er-Jahre-Party, -s 137
die 2-Zimmer-Wohnung, -en 81
die Aalsuppe, -n 54
ab (... Uhr) 41
ab (temporal) 93
ab·biegen 75
der Abend, -e 12
abends 132
aber 16
aber (Modalpartikel) 28
ab·fahren 61
der Abfall, ¨e 112
ab·holen 61
die Absage, -n 47
ab·sagen 50
der Abschied, -e 14
die Abschiedsparty, -s 154
ab·schließen 96
der Abschluss, ¨e 98
die Abschlussprüfung, -en 132
absolut 53
ab·stimmen 118
ab·trocknen 112
abwaschen 112
ach! 90
ach, du liebe Zeit! 110
ach ja 65
ach komm! 110
ach nein! 122
achten auf 154
Achtung! 60
ach was! 110
ach wirklich? 94
das Adjektiv, -e 27
die Adresse, -n 34
(das) Ägypten 141
ähnlich 144
die Akademie, -n 95
der Akkusativ, -e 35
die Aktivität, -en 69
das Aktivitäten-Bingo, -s 147
aktuell 84
akzeptieren 117
alle 33
allein 16
alles 42
die Alltagsaktivität, -en 63
das Alphabet, -e 11
als (arbeiten als) 16
also 59
alt 17
das Alter, - 17
die Alternative, -n 169
die Altstadt, ¨e 84
am (+ Datum) 25
am (lokal) 77
der Amerikaner, - / die Amerikanerin, -nen 24
am meisten 150
die Ampel, -n 75
an 75
an (lokal) 32
an·bieten 27
andere 11
anerkannt 95
an·fangen 68
die Angabe, -n 142
an·geben 127
angeln 117
der/die Angestellte, -n 168
die Angst, ¨e: Angst haben 91
an·haben 124
der Animateur, -e 121
an·kommen 59
an·kreuzen 11
an·legen 116
an·lehnen 120
die Anleitung, -en 98
an·machen 75
an·melden (sich) 95
die Anrede (Sg.) 34
der Anruf, -e 38
der Anrufbeantworter, - 113
an·rufen 59
an·sehen 15
die Antwort, -en 142
antworten 139
der Anwalt, ¨e 103
die Anzeige, -n 95
an·ziehen (sich) 176
das Apartment, -s 81
der Apfel, ¨ 52
der Apfelsaft, ¨e 56
der Apfelstrudel, - 54
die Apotheke, -n 100
der Apparat, -e 103
der Appetit: guten Appetit 52
der April, -e 68
die Arbeit, -en 119
arbeiten 13
der Arbeiter, - 84
der Arbeitgeber, - 17
arbeitslos 144
der Arbeitsplatz, ¨e 35
das Arbeitszimmer, - 80
der Architekt, -en 15
der Arm, -e 100
der Artikel, - 28
der Artikeltanz, ¨e 28
der Arzt, ¨e / die Ärztin, -nen 16
die Atmosphäre, -n 89
auch 12
auf (auf Seite) 13
auf (lokal) 142
auf (sein) 113
der Aufbau (Sg.) 41
auf·fordern 113
die Aufforderung, -en 111
die Aufgabe, -n 144
auf·hängen 112
auf·hören 68
die Auflösung, -en 22
das Aufnahmegerät, -e 119
die Aufnahmeprüfung, -en 95
auf·passen 62
auf·räumen 64
auf·stehen 64
auf·stellen 137
auf·wachen 128
auf·wachsen (bei) 121
auf Wiederschauen (Ö/Süddt.) 24
auf Wiedersehen 12
der Aufzug, ¨e 91
die Aufzugfirma, -firmen 92
das Auge, -n 43
der Augenarzt, ¨e 31
die Augenfarbe, -n 121
der August, -e 68
die Auktion, -en 150
aus 11
aus (Glas) 32
die Ausbildung, -en 16
aus·denken 175
der Ausdruck, ¨e 62
äußern 95
der Ausflug, ¨e 45
aus·füllen 31
der Ausklang, ¨e 26
das Ausland (Sg.) 97
der Ausländer, - 84
aus·machen 92
aus·räumen 113
die Aussage, -n 14
das Aussehen (Sg.) 107
aus·sehen 81
die Aussicht, -en 73
der Aussichtsturm, ¨e 136
aus·steigen 59
die Ausstellung, -en 48
das Auto, -s 46
der Autofahrer, - 115
der Autor, -en / die Autorin, -nen 39
der Autoscooter, - 136
das Baby, -s 23
backen 44
die Bäckerei, -en 109
das Bad, ¨er 80
der Badeanzug, ¨e 137
die Badehose, -n 137
der Bademantel, ¨ 93
baden 116
der Bahnhof, ¨e 59
der Bahnsteig, -e 60
bald 23
der Baldrian, -e 101
der Balkon, -e und -s 80
der Ball, ¨e 38
die Band, -s 176
die Bank, -en 76
die Bar, -s 49
der Bär, -en 88
der Bart, ¨e 107
der Bauch, ¨e 101
die Bauchschmerzen (Pl.) 99

bauen 163
das Bauernhaus, ¨-er 166
der Baum, ¨-e 80
bayrisch 87
das Beachvolleyball (Sg.) 53
beantworten 142
bearbeiten 53
bedanken sich 31
bedeuten 57
beenden 59
das Befinden (Sg.) 11
befragen 165
befürchten 135
begleiten 105
begründen 129
begrüßen (sich) 11
die Begrüßung (Sg.) 14
behalten 142
bei (+ Person) 40
bei (arbeiten bei) 16
bei: bei Kopfschmerzen 101
beige 124
das Bein, -e 100
das Beispiel, -e 41
der Beitrag, ¨-e 173
bekannt- 13
der/die Bekannte, -n 134
bekommen 32
(das) Belgien 26
beliebt 87
bequem 73
das Beratungsgespräch, -e 27
berechnen 103
der Berg, -e 163
die Bergbahn, -en 73
der Beruf, -e 15
beruflich 16
die Berufsausbildung, -en 96
Bescheid sagen 168
beschreiben 31
die Beschreibung, -en 150
beschweren (sich) 109
besichtigen 73
besondere 69
besonders 49
besser 97
bestehen 131
bestellen 34
die Bestellnummer, -n 34
die Bestellung, -en 34
bestimmt- 137
besuchen 56
der Besucher, - 41
betonen 90
die Betonung, -en 126

der Betreff, -e 50
die Betriebsfeier, -n 72
das Betriebssystem, -e 103
das Bett, -en 27
die Bewegung, -en 65
das Bewegungsspiel, -e 113
bewerben: sich bewerben für 95
bewerten 27
bewölkt: es ist bewölkt 127
bezahlen 81
die Bibliothek, -en 84
das Bier, -e 56
der Biergarten, ¨ 87
das Bierglas, ¨-er 40
bieten 150
der Bikini, -s 137
das Bild, -er 19
bilden 74
das Bildlexikon, -lexika 14
der Bildschirm, -e 37
billig 28
die Biochemie (Sg.) 23
bis (14 Jahre) 41
bis (5 bis 6) 68
bis (dann/morgen) 49
bis bald 130
bis zu : bis zu 2 Grad 128
bitte 20
die Bitte, -n 46
der Bitte-Danke-Walzer, - 122
bitten um 14
Bitteschön 33
bitte sehr 52
die Blasmusik (Sg.) 87
blau 32
bleiben 100
der Bleistift, -e 32
der Blick, -e 76
blitzen: es blitzt 128
der Blog, -s 53
blond 108
bloß 119
blühen 71
die Blume, -n 80
die Bluse, -n 124
Boah! 132
der Boden, ¨ 113
das Boot, -e 120
der Botanische Garten, ¨ 73
der Braten, - 52
brauchbar 128
brauchen 28
braun 32
der Brief, -e 111
die Briefmarke, -n 36

die Brille, -n 31
das Brillenmodell, -e 32
bringen 65
das Brot, -e 52
das Brötchen, - 53
die Brücke, -n 76
der Bruder, ¨ 20
die Brust, ¨-e 101
das Buch, ¨-er 32
der Buchstabe, -n 26
buchstabieren 14
bügeln 112
bürgerlich: bürgerlicher Name 121
das Büro, -s 35
der Bürokaufmann, Bürokaufleute 171
der Bus, - -se 60
der Busch, ¨-e 104
die Butter (Sg.) 53
das Café, -s 48
der Campingstuhl, ¨-e 128
der Cappuccino, -s 61
das Casting, -s 95
die Castingshow, -s 95
die CD, -s 133
das Cello, - s/Celli 53
der Cent, -s 29
die Chance, -n 97
der Charakter, Charaktere 107
der Chat, -s 47
der Chauffeur, -e 138
der Chef, -s / die Chefin, -nen 36
die Chefsekretärin, -nen 135
der Chemiefacharbeiter, - 25
der Chor, ¨-e 106
der Chortext, -e 106
der Clip, -s 24
der Club, -s 71
cm (der Zentimeter, -) 40
der Comic, -s 32
der Computer, - 35
das Computerspiel, -e 79
das Containerschiff, -e 89
cool 39
das Corned Beef, -s 57
die Couch, -s 29
der Coversong, -s 121
das Croissant, -s 72
die Currywurst, ¨-e 56
da 42
dabei 73
dabei·haben 128
das Dach, ¨-er 128
dafür 119

die Dame, -n 103
danach 71
(das) Dänemark 18
danke 12
Danke: vielen Dank 52
danken 84
Danke schön 156
danke sehr 42
dann 21
darauf 34
daraus 57
das (Artikel) 11
das: das ist ... 11
die Daten (Pl.) 135
der Dativ, -e 75
das Datum, Daten 134
dauern 68
davon 85
dazu 57
dazu·geben 57
decken 111
der definite Artikel, - 27
dein/e 19
deinstallieren 103
die Dekoration, -en 137
dekorieren 137
denken 65
denn (Konjunktion) 127
denn (Modalpartikel) 27
der 18
deshalb 103
der Designer, - 28
die Designer-Brille, -n 32
das Designer-Modell, -e 32
die Designer-Tasche, -n 150
das Dessert, -s 53
deutsch 11
der/die Deutsche, -n 84
der Deutschkurs, -e 64
(das) Deutschland 12
deutschsprachig 25
der Dezember, - 65
diagonal 147
das Diagramm, -e 135
der Dialog, -e 20
die Diashow, -s 72
dich 58
dichten 106
dick 108
die (Plural) 11
die (Singular) 12
der Dienst, -e 106
der Dienstag, -e 49
die Dienstreise, -n 64
der Dienstschluss (Sg.) 119
die Dienststelle, -n 119
dies- 35

digital 34
diktieren 14
das Ding, -e 31
der Diplom-Informatiker, - 15
dir: Wie geht es dir? 13
direkt 102
die Disco, -s 48
die Diskothek, -en 109
der DJ, -s 121
doch (ja, nein, doch) 19
doch (Modalpartikel) 39
der Dom, -e 71
donnern: es donnert 128
der Donnerstag, -e 49
dort 97
dorthin 69
Dr. (Doktor) 15
draußen 134
der Dreck (Sg.) 114
der Drehbuchausschnitt, -e 19
dringend 81
dritt: zu dritt 101
drucken 37
der Drucker, - 37
du 11
dumm: Wie dumm! 94
dunkel- (grün) 32
dünn 109
durch 62
der Durchbruch, ¨-e 121
durch·kommen 77
die Durchsage, -n 59
dürfen 115
der Durst (Sg.) 51
die Dusche, -n 93
ebenfalls 52
das Echo, -s 17
echt? 107
die Ecke, -n: um die Ecke 84
eckig 32
ehrlich 117
das Ei, -er 53
der Eiersalat, -e 156
eigene 153
der Eigenname, -n 79
die Eigenschaft, -en 150
eigentlich 83
ein/e 11
ein bisschen 22
ein·checken 119
einfach 39
einfach (Modalpartikel) 97
ein·fahren 60
der/die Einheimische, -n 87
ein·kaufen 57
ein·laden 50
die Einladung, -en 47
einmal 53
ein paar 128
die Einrichtung (Sg.) 83
ein·schalten 119
ein·schlafen 119
ein·steigen 59
ein·tragen 77
der Eintritt, -e 41
die Einweihungsparty, -s 133
der Einwohner, - 88
das Eis (Sg.) 53
die Eiszeit (Sg.) 135
die Elbe 89
elegant 32
elektronisch 89
der Elektroinstallateur, -e 104
die Elektronikfirma, -firmen 104
das Elfchen-Gedicht, -e 98
die Eltern (Pl.) 19
die E-Mail, -s 34
Ende: am Ende 14
endlich 53
die Endung, -en 37
(das) Englisch 19
der Englische Garten 87
der Enkel, - / die Enkelin, -nen 21
entdecken 121
der Entertainer, - 121
entscheiden 90
entschuldigen 61
die Entschuldigung, -en 33
entspannen (sich) 132
entwerfen 125
er 11
der Erdäpfelsalat, -e 56
die Erde (Sg.) 105
das Erdgeschoss, -e (EG) 80
der Erfolg, -e 103
erfolgreich 105
ergänzen 12
das Ergebnis, -se 25
erinnern (sich) an 26
erkennen 109
erlauben: das ist erlaubt 116
erleben 128
erscheinen 101
erst 52
erstaunt 107
erste 26
erwähnen 82
erzählen 38
es 27
essen 51
das Essen, - 50
die Essgewohnheit, -en 51
das Etikett, -e 150
etwa 68
etwas 140
euch 85
der Euro, -s 28
(das) Europa 97
das Europäische Magier- und Illusionistentreffen 119
der/das Event, -s 68
exklusiv 150
exotisch 137
extra 57
extrem 32
die Fabrik, -en 166
die Fähigkeit, -en 43
der Fahrradfahrer, - 115
fahren 44
der Fahrgast, ¨-e 119
die Fahrt, -en 73
der Fall, ¨-e: auf keinen Fall 97
der Fallschirm, -e 161
falsch 139
die Familie, -n 19
die Familiengeschichte, -n 21
das Familienmitglied, -er 21
der Familienname, -n 13
der Familienstand (Sg.) 15
die Fanseite, -n 84
die Fantasie, Fantasien 138
die Fantasiefigur, -en 102
die Farbe, -n 31
färben 121
farbig 22
farblos 128
der Fasching (Sg.) 68
das Faschingsfest, -e 72
die Fasnacht (Sg.) 68
fast 45
faul 112
der Favorit, -en 54
das Fax, -e 34
der Februar, -e 68
fehlen 139
fehlend 141
der Fehler, - 41
feiern 67
fein 101
feminin 22
das Fenster, - 79
die Ferienwohnung, -en 128
fern·sehen 60
das Fernsehen (Sg.) 48
der Fernseher, - 92
fertig (sein) 23
das Fest, -e 67
das Festival, -s 68
das Festnetz, -e 103
fest·stecken 91
das Feuerwerk, -e 134
das Feuerzeug, -e 32
das Fieber (Sg.) 100
die Figur (Sg.) 102
der Film, -e 24
die Film-Station, -en 24
finden 16
der Finger, - 101
(das) Finnisch 22
die Firma, Firmen 36
der Fisch, -e 53
das Fischbuffet, -s 137
die Fischsuppe, -n 53
fit (sein) 98
die Fitness (Sg.) 132
das Fitnessstudio, -s 132
die Fläche, -n 87
die Flasche, -n 32
die Flaschenpost (Sg.) 137
fleißig 65
fliegen 67
der Flohmarkt, ¨-e 41
die Flöte, -n 53
der Flughafen, ¨- 59
das Flugzeug, -e 61
der Flur, -e 80
der Fluss, ¨-e 166
der Föhn, -e 93
folgen 121
die Form, -en 31
formell 139
das Formular, -e 31
formulieren 113
das Forum, Foren 125
der Forumsbeitrag, ¨-e 123
das Foto, -s 15
der Fotoapparat, -e 33
die Fotografie, -n 23
fotografieren 44
die Foto-Story, -s 24
die Frage, -n 142
der Fragebogen, ¨- 37
fragen 11
(das) Frankreich 12
(das) Französisch 22
die Frau, -en 12
die Frau, -en (Ehefrau) 20
der Frauen-Ausflug, ¨-e 53

WORTLISTE

WORTLISTE

QUELLENVERZEICHNIS

Cover: © Getty Images/Image Source
Seite 12: Fahnen © fotolia/createur
Seite 13: von links © action press/Henning Schacht; © Joseph Carl Stieler/Bridgeman/Getty Images
Seite 16: Bildlexikon von links © iStockphoto/toddmedia; © fotolia/Jonny; © iStockphoto/tunart; © fotolia/Albert Schleich; © iStockphoto/claudiaveja; © iStockphoto/ImageegamI; © PantherMedia/Andres Rodriguez
Seite 17: Bildlexikon von links © irisblende.de; © iStockphoto/DianaLundin; © iStockphoto/Viorika; © irisblende.de; © iStockphoto/goldenKB
Seite 18: © iStockphoto/TriggerPhoto
Seite 21: oben von links © fotolia/Galina Barskaya; © iStockphoto/JJRD; unten rechts © fotolia/Benicce
Seite 22: Karte: © www.cartomedia-karlsruhe.de; Fahnen © fotolia/createur
Seite 23: rechts von oben © iStockphoto/Ryan Lane; © iStockphoto/pink_cotton_candy
Seite 24: Clip 1–3: Mingamedia Entertainment GmbH, München
Seite 25: © Getty Images
Seite 28: Bildlexikon von links © iStockphoto/tiler84; © iStockphoto/Luso; © iStockphoto/twohumans; © iStockphoto/Carlos Alvarez; © iStockphoto/IlexImage
Seite 29: Bildlexikon von links © iStockphoto/jallfree; © iStockphoto/simonkr; © iStockphoto/terex; © iStockphoto/sjlocke; 1 © iStockphoto/temniy; 2 Bild © digitalstock; Rahmen © iStockphoto/winterling; 3 © iStockphoto/Viorika
Seite 30: A © Corbis/image100; E © PantherMedia/avava
Seite 32: Bildlexikon von links © fotolia/Daniel Burch; © iStockphoto/deepblue4you; © fotolia/Taffi; © iStockphoto/karandaev; © iStockphoto/eldadcarin; 1 © fotolia/Feng Yu; 2 © fotolia/hawi64; 3 © fotolia/Flexmedia; Übung 3b oben von links © iStockphoto/pzAxe; © fotolia/anna k.; © fotolia/April Koehler; Übung 3b unten von links © iStockphoto/AntiMartina; © iStockphoto/LdF
Seite 33: Bildlexikon von links © fotolia/Klaus Eppele; © iStockphoto/Paula Connelly; © iStockphoto/phant; © iStockphoto/zentilia; © iStockphoto/DesignSensation; Übung 6 von links © iStockphoto/AlbertSmirnov; © iStockphoto/golovorez; © iStockphoto/TABoomer; © fotolia/Kramografie; © iStockphoto/AlesVeluscek
Seite 34: von links © iStockphoto/dja65; Digitaluhr mit freundlicher Genehmigung der Valentin Elektronik GmbH
Seite 36: Bildlexikon von links © fotolia/Fatman73; © Hueber Verlag; © iStockphoto/milosluz; © fotolia/Timo Darco; © iStockphoto/raclro; © PantherMedia/Reiner Wuerz; © iStockphoto/dcbog
Seite 37: Bildlexikon von links © fotolia/Michael Möller; © iStockphoto/jaroon; © iStockphoto/lucato; © iStockphoto/chas53; © iStockphoto/nicoblue; © fotolia/Michael Möller; © PantherMedia/Dietmar Stübing; © iStockphoto/Viktorus
Seite 40: Clip 4–6: Mingamedia Entertainment GmbH, München
Seite 41: oben von links © imago/suedraumfoto; © imago/fotokombinat; © imago/suedraumfoto; unten © iStockphoto/phant
Seite 44: Bildlexikon von links © iStockphoto/Jan-Otto; © digitalstock/Baum; © iStockphoto/NickS; © fotolia/Franz Pfluegl; © iStockphoto/attator; © PantherMedia/Thomas Lammeyer; © iStockphoto/hidesy; 1 © PantherMedia/Alexander Rochau; 2 © PantherMedia/Jenny Sturm; 3 © iStockphoto/NejroN; 4 © fotolia/Simone van den Berg; 5 © iStockphoto/jimd_stock; 6 © fotolia/JackF; 7 © PantherMedia/Edward Bock; 8 © fotolia/Galina Barskaya; 9 © fotolia/Jacek Chabraszewski; 10 © iStockphoto/andyross
Seite 45: Bildlexikon von links © fotolia/Thomas Oswald; © fotolia/Talex; © iStockphoto/tacojim; © iStockphoto/anouchka; © fotolia/Monkey Business; © iStockphoto/bluestocking; © iStockphoto/trait2lumiere
Seite 46: © iStock/hocus-focus
Seite 47: unten von links © iStockphoto/drbimages; © iStockphoto/keeweeboy
Seite 48: Bildlexikon von links © digitalstock/A. Lubba; © iStockphoto/luoman; © iStockphoto/mpalis; © iStockphoto/kgelati1; © iStockphoto/Franky De Meyer; © pitopia/David Büttner
Seite 49: Bildlexikon von links © iStockphoto/Editorial12; © iStockphoto/Cimmerian; © iStockphoto/manley099; © iStockphoto/alicat; © digitalstock; Übung 6 von links © iStockphoto/drbimages; © fotolia/Bobby Earle
Seite 52: Bildlexikon von links © iStockphoto/jerryhat; © iStockphoto/PLAINVIEW; © PantherMedia/Doris Heinrichs; © iStockphoto/monica-photo; © fotolia/Aleksejs Pivnenko; © fotolia/gtranquillity; © iStockphoto/adlife-marketing; © iStockphoto/Anna Sedneva
Seite 53: Bildlexikon von links © iStockphoto/RedHelga; © fotolia/seen; © iStockphoto/duncan1890; © fotolia/Olga Patrina; © iStockphoto/Laks-Art; © fotolia/Tomboy2290; © fotolia/sumnersgraphicsinc; © fotolia/Birgit Reitz-Hofmann; Würfel © iStockphoto/arakonyunus
Seite 54: oben von links © fotolia/Christa Eder; © Stockfood/Iden; Mitte von links © Stockfood/Bischof; © PantherMedia/Bernd Jürgens; unten von links © iStockphoto/HHLtDave5; © fotolia/Svenja98
Seite 55: rechts von oben © fotolia/Mareen Friedrich; © fotolia/fredredhat; © action press/Everett Collection
Seite 56: Clip 7–9: Mingamedia Entertainment GmbH, München
Seite 57: oben von links © iStockphoto/stockcam; © iStockphoto/Pumpal; © fotolia/Carmen Steiner; unten © iStockphoto/donstock; Fahnen © fotolia/createur
Seite 58: Franz Specht, Weßling
Seite 60: Bildlexikon von links © iStockfoto/gmutlu; © fotolia/Daniel Hohlfeld; © iStockphoto/Leonsbox; © colourbox.com; © iStockphoto/Steve Mcsweeny; © Deutsche Bahn AG/Claus Weber; © PantherMedia/Robert Neumann; © iStockphoto/JVT

Seite 61: Bildlexikon von links © fotolia/Ilja Mašík; © iStockphoto/LordRunar; © PantherMedia/Detlef Schneider; © fotolia/Carmen Steiner; © iStockphoto/stasvolik; © fotolia/adisa; © iStockphoto/ollo
Seite 68: A © fotolia/El Gaucho; B © fotolia/Heinz Waldukat; C © dpa Picture-Alliance/DeFodi; D © action press/Peter Lehner
Seite 69: oben © iStockphoto/Avid Creative, Inc.; unten © PantherMedia/Rafael Angel Irusta Machin
Seite 70: oben von links © fotolia/margelatu florina; © fotolia/sonne Fleckl; unten von links © iStockphoto/konradlew; © PantherMedia/Daniel Schoenen
Seite 71: Reisefotos: Franz Specht, Weßling (3)
Seite 72: Clip 10–12: Mingamedia Entertainment GmbH, München
Seite 73: oben von links © colourbox; © Gunnar Knechtel/laif; © digitalstock; © Caro/Amruth; Übung 2 von oben © iStockphoto/aprott; © Flonline
Seite 74: © fotolia/dpaint
Seite 78: oben © iStockphoto/simonbradfield; 1 © fotolia/kameraauge; 2 © iStockphoto/schmidt-z; 3 © PantherMedia/ Jens Nieswandt
Seite 79: Laptop © Thinkstock/iStock/Jeff Huting
Seite 80: Bildlexikon von links © PantherMedia/Andreas Jung; © fotolia/pia-pictures; © PantherMedia/Hans Pfleger; © fotolia/Mike Kiev; © fotolia/Manuel Ribeiro; ©PantherMedia/Andreas Jung; unten © PantherMedia/Rita Maaßen
Seite 81: Bildlexikon von links © iStockphoto/Tree4Two; © PantherMedia/Andreas Jung; © iStockphoto/suprun (3)
Seite 83: A © imago/Werner Otto; © iStockphoto/jcarillet; B © PantherMedia/Holger Saupe; © iStockphoto/fenlan1976; C © PantherMedia/Fritz Nathalie; © iStockphoto/jophil; D © Herbert Wünstel, Hatzenbühl–www.g28.de; © PantherMedia/ Walter Korinek; E © PantherMedia/Federico Belotti; © DIGITALstock/M. Spannring; F © Pia Malmus, Kassel; © iStockphoto/ ljupco
Seite 84: Bildlexikon von links © PantherMedia/Erich Teister; © PantherMedia/Michael Kupke; © fotolia/Ralf Gosch; © fotolia/view7; © DIGITALstock/ANDREAS HAAB; © iStockphoto/Grafissimo; © iStockphoto/xyno; links © Pitopia/Val Thoermer; rechts von oben © iStockphoto/BenGoode; © iStockphoto/Inga Nielsen; © iStockphoto/Grafissimo; © fotolia/ Composer
Seite 85: Bildlexikon von links © PantherMedia/Colette Planken-Kooij; © fotolia/blue-images.net; © digitalstock/Q-Art; © PantherMedia/Martina Berg; © fotolia/yong hong
Seite 87: oben © iStockphoto/Valua Vitaly; von links © iStockphoto/Stephan Hoerold; © PantherMedia/Kerstin Röcker; © Pitopia/clearlens; © Wolf-Dieter Schoof, München – www.urasenke-muenchen.de; © iStockphoto/ronaldino3001
Seite 88: Clip 13–15: Minga Media Entertainment GmbH, München
Seite 89: oben © PantherMedia/Yuri Arcurs; Mitte © PantherMedia/Ingeborg Knol (2); unten von links © ullstein bild/Kujath; © PantherMedia/Ingeborg Knol
Seite 90: von links © PantherMedia/Simone Wunderlich; © PantherMedia/Monika Lache; Silhouetten © iStockphoto/Leontura
Seite 100: Bildlexikon von links © iStockphoto/STEVECOLEccs; © DIGITALstock/F. Aumüller; © iStockphoto/idal; © DIGITALstock/B. Leitner; © fotolia/Jürgen Fälchle; © iStockphoto/lenad-photography; © PantherMedia/tom scherber
Seite 101: Bildlexikon von links © fotolia/Sandor Jackal; © PantherMedia/Monkeybusiness Images; © PantherMedia/Dieter Beselt; © PantherMedia/Brigitte Götz; © fotolia/PhotoSG; rechts von oben © iStockphoto/kentarcajuan; © iStockphoto/ivstiv
Seite 104: Clip 16–18: Minga Media Entertainment GmbH, München
Seite 105: von oben © PantherMedia/Elena Elisseeva; © PantherMedia/Yuri Arcurs; © PantherMedia/Elena Elisseeva
Seite 106: © imago/Hubert Jelinek
Seite 114: © Pitopia/Walter Korinek
Seite 116: © iStockphoto/sturti
Seite 119: oben © action press/Peter von Stamm; Adem © PantherMedia/Luis Santos; Marlies © PantherMedia/Yuri Arcurs; Markus © iStockphoto/Brightrock
Seite 120: Clip 19–21: Minga Media Entertainment GmbH, München
Seite 121: © ddp images/dapd
Seite 122: © iStockphoto/Theresa Tibbetts
Seite 124: Bildlexikon von links © PantherMedia/Ruth Black; © iStockphoto/cookelma; © iStockphoto/ARSEL A; © iStockphoto/sumnersgraphicsinc; © iStockphoto/lepas2004; © fotolia/Alexandra Karamyshev; © Pitopia/PeJo; © fotolia/Alexandra Karamyshev
Seite 125: Bildlexikon von links © fotolia/Alexandra Karamyshev; © PantherMedia/Andreas Münchbach; © fotolia/Alexandra Karamyshev; © iStockphoto/Pakhnyushchyy; © iStockphoto/dendong; © iStockphoto/kycstudio; © iStockphoto/cookelma; T-Shirts weiß © iStockphoto/isteadicam; T-Shirt grün © iStock/sumnersgraphicsinc; unten © Hueber Verlag
Seite 128: Bildlexikon von links © iStockphoto/ooyoo; © PantherMedia/Jenny Sturm; © fotolia/Stas Perov; © iStockphoto/ konradlew; © digitalstock; © PantherMedia/Liane Matrisch; von oben © iStockphoto/Stockphoto4u; © iStockphoto/AmpH; © PantherMedia/Nicole Schröder; © ddp images/AP
Seite 129: Bildlexikon von links © iStockphoto/clintspencer; © fotolia/sellingpix; © fotolia/kathik; © fotolia/Andrzej Tokarski; Thermometer © iStockphoto/Mervana; Windrose © fotolia/Dirk Schumann; unten © fotolia/Uzi Tzur
Seite 135: von links © PantherMedia/Yuri Arcurs; © iStockphoto/asiseeit
Seite 136: Clip 22–24: Minga Media Entertainment GmbH, München

Seite 138: oben © iStockphoto/evirgen; unten von links © iStockphoto/Lisa-Blue; © fotolia/Stefan Körber
Seite 139: © iStock/hocus-focus
Seite 141: von oben © action press/Henning Schacht; © SuperStock/Getty Images; © Joseph Carl Stieler/Bridgeman/Getty Images; © iStockphoto/Grafissimo; © Süddeutsche Zeitung Photo/Rue des Archives; © action press/Zuma Press; © dpa Picture-Alliance/Franz Hubmann; Karte © www.cartomedia-karlsruhe.de
Seite 142: © iStock/hocus-focus
Seite 143: von oben © action press/Henning Schacht; © SuperStock/Getty Images; © Joseph Carl Stieler/Bridgeman/Getty Images; © iStockphoto/Grafissimo; © Süddeutsche Zeitung Photo/Rue des Archives; © action press/Zuma Press; © dpa Picture-Alliance/Franz Hubmann
Seite 144: von oben © PantherMedia/Radka Linkova; © iStockphoto/PinkTag; © iStockphoto/Neustockimages; © iStockphoto/shmackyshmack; © iStockphoto/RichVintage; © PantherMedia/Günter Elbers
Seite 145: Tisch © fotolia/Stockcity; Stuhl © iStockphoto/YangYin; Lampe © iStockphoto/mandj98; Couch © fotolia/runzelkorn; Schrank © iStockphoto/scibak
Seite 148: von oben © PantherMedia/Radka Linkova; © iStockphoto/PinkTag; © iStockphoto/Neustockimages; © iStockphoto/shmackyshmack; © iStockphoto/RichVintage; © PantherMedia/Günter Elbers
Seite 149: von links © PantherMedia/Kati Neudert; © PantherMedia/Kati Neudert; © iStockphoto/MmeEmil; © fotolia/contrastwerkstatt
Seite 150: © fotolia/Kayros Studio
Seite 152: von links © PantherMedia/Kati Neudert; © PantherMedia/Kati Neudert; © iStockphoto/MmeEmil; © fotolia/contrastwerkstatt
Seite 156: von links © iStockphoto/Plesea Petre; © PantherMedia/Elmar Tomasi; © iStockphoto/Ljupco
Seite 161: von oben © iStockphoto/sculpies; © iStockphoto/Mlenny; © PantherMedia/Dagmar Richardt; © iStockphoto/Elnur; © PantherMedia/Gojaz Alkimson
Seite 162: © iStockphoto/Kemter
Seite 163: von links © fotolia/Ralf Gosch; © fotolia/view7; © DIGITALstock/ANDREAS HAAB; © iStockphoto/Grafissimo; © iStockphoto/xyno
Seite 166: 1. Reihe von links © iStockphoto/BenGoode; © fotolia/Composer; © iStockphoto/Inga Nielsen; 2. Reihe von links © iStockphoto/cbarnesphotography; © fotolia/MF-Media.de; 3. Reihe © fotolia/gandolf; 4. Reihe von links © fotolia/gipfelstuermer; © PantherMedia/Jens Lehmberg; © iStockphoto/rotofrank; 5. Reihe © iStockphoto/Orientaly; 6. Reihe von links © fotolia/mahey; © iStockphoto/Sisoje
Seite 167: von links © fotolia/Ralf Gosch; © fotolia/view7; © DIGITALstock/ANDREAS HAAB; © iStockphoto/Grafissimo; © iStockphoto/xyno
Seite 170: 1. Spalte von oben © iStockphoto/deepblue4you; © iStockphoto/milosluz; © iStockphoto/fjdelvalle; © iStockphoto/digitalr; © iStockphoto/claylib; © iStockphoto/ajt; © iStockphoto/peepo; 2. Spalte von oben © iStockphoto/golovorez; © fotolia/Fatman73; © iStockphoto/mgkaya; © fotolia/Klaus Eppele; © iStockphoto/SilentWolf; © PantherMedia/Kati Neudert; © iStockphoto/H-Gall; 3. Spalte von oben © fotolia/Scott Griessel; © iStockphoto/Eldad Carin; © iStockphoto/monkeybusinessimages; © iStockphoto/MarcusPhoto1; © PantherMedia/Georg Niederkofler
Seite 175: von oben © fotolia/PictureP; © iStockphoto/Benjamin Goode
Seite 176: T-Shirt © iStockphoto/sumnersgraphicsinc; Band © iStockphoto/Roob

Alle übrigen Fotos: Florian Bachmeier, Schliersee
Zeichnungen: Michael Mantel, Barum
Bildredaktion: Iciar Caso, Hueber Verlag, München